Parents orphelins

Témoignages de parents à la suite
du décès de leur enfant

Les auteurs de *Parents orphelins* ont tous été aidés durant leur deuil par Les Amis compatissants, organisme d'entraide pour les familles ayant perdu un enfant.

Louise Courteau, éditrice inc.
7433, rue Saint-Denis
Montréal, Québec, Canada
H2R 2E5

Typographie : Tapal'œil
Photo page couverture : Kathy Paradis

La maquette de présentation des témoignages est une idée originale de Georges A. Vachet.

Dépôt légal : quatrième trimestre 1990
Bibliothèque nationale du Québec
Bibliothèque nationale du Canada
Bibliothèque nationale de Paris
Library of Congress, Washington, D.C.

ISBN : 2-89239-126-1

Parents orphelins

Témoignages de parents à la suite
du décès de leur enfant

ÉDITRICE

TABLE DES MATIÈRES

TROISIÈME PARTIE : TOUT JUSTE ADULTE

QUATRIÈME PARTIE : ÊTRE TUÉ

Préface

Je fus très touchée que les auteurs de ce livre me demandent d'en écrire la préface. En même temps, je me suis réjouie d'avoir ainsi l'occasion de fermer la boucle de quinze années de travail professionnel avec des parents endeuillés en faisant une humble contribution à l'héritage de leurs enfants décédés.

Comme la personne humaine est curieusement faite ! La mort est le seul événement de la vie dont nous sommes tous assurés ; pourtant, elle est le plus terrifiant et le plus difficile à accepter. Plus particulièrement, la mort d'un enfant constitue un événement incompréhensible, paradoxal, contradictoire. L'enfant est le symbole de la vie et de la continuité des générations ; c'est donc lui qui devrait voir mourir ses parents et ses grands-parents. Malheureusement, nous savons qu'il y a beaucoup d'enfants qui meurent. Nous les appelons les enfants exceptionnels, les enfants-héros, les enfants irremplaçables, les enfants pas comme les autres. Nous sommes tellement préoccupés par les efforts nécessaires pour les sauver ou les soulager que souvent nous oublions les vivants qui les entourent : leurs parents, leurs familles.

Les témoignages contenus dans ce livre révèlent les chemins douloureux parcourus par des parents ayant vécu le décès de leur enfant. Après avoir pris connaissance des peines et des douleurs exprimées dans ces témoignages, trois faits nous frappent :

1) On est seul dans la mort. Le mourant comme ses proches vivent la mort d'une façon unique et incomparable, découvrant ce qu'on ne sait pas ou ce qu'on ne peut pas comprendre ni exprimer.

2) On a des choix à faire et des décisions à prendre quant à la façon de vivre son deuil. C'est un cheminement qui exige beaucoup d'efforts. Comme une balle, il faut toucher le fond pour pouvoir rebondir. Il faut le vivre jusqu'au bout de ses racines pour revenir à la vie.

3) Il y a des parents exceptionnels, des parents-héros, des parents irremplaçables, des parents pas comme les autres. Ce sont les parents qui ont vécu le décès de leur enfant.

Dans ce livre, nous sommes témoins du cheminement de ces parents, de leur peine, de leur douleur, de leurs efforts pour repenser leurs valeurs, réajuster leur personnalité, apprendre à vivre sans leur enfant décédé, poursuivre leur propre chemin jusqu'à la mort. Je les remercie de cet héritage.

Irena K. Lukosevicius, T.S.P.

Introduction

Certains livres sont faits pour être littéralement dévorés, d'autres pour être savourés comme un fruit exquis. Celui-ci n'est ni l'un ni l'autre. Il est écrit pour être lu ici et là, un peu à l'improviste, peu à la fois.

Le lecteur y trouvera matière à réflexion. Les sentiments qui y sont exprimés par les parents sont d'une intensité peu ordinaire puisque l'événement qui les a suscités n'a rien d'ordinaire : LA MORT DE LEUR ENFANT. Les récits sont variés, le vécu de chaque parent l'est tout autant.

Le lecteur ne trouvera pas dans ces textes une juste proportion entre les différents sentiments exprimés par les parents et le cheminement normal d'un deuil. Ces parents ont décrit leur expérience personnelle, leur état d'âme, à un certain moment de leur deuil. On y retrouve cependant toutes les étapes, tous les sentiments normaux d'un deuil : le choc, la négation, la révolte, la colère, le doute, l'impuissance, la culpabilité, la dépression, l'espérance, la détermination, le bonheur, la sérénité, la joie de vivre.

Les parents qui ont perdu un enfant par la mort s'y retrouveront à maintes reprises tandis que les autres y puiseront une meilleure compréhension, une plus grande tolérance à l'égard de la misère que peuvent vivre ces parents.

Ce qui n'est pas nécessairement évident, c'est que les parents réussissent à s'en sortir et qu'ils en sortent changés. Cette métamorphose est réelle ; elle n'est pas une question de temps comme beaucoup s'évertuent à le dire, mais une question de choix conscient, celui de renaître à la VIE.

Jean-Paul Blais.
Président des Amis compatissants
du Canada.

PREMIÈRE PARTIE
La perte de nos tout-petits

Le destin

par
Henriette Harvey

SIMON

SIMON BERGERON
6 février 1981 — 30 juillet 1982
Décédé d'un accident à l'âge
de 17 mois et 3 semaines.
« Aujourd'hui, cinq ans et demi après. »

Un souvenir si près...

Mon fils Simon n'avait que 17 mois et 3 semaines lorsqu'il s'est fait heurter mortellement par un véhicule.

Déjà cinq ans et demi et, si je lève le voile, je m'en souviens comme si c'était hier. On ne peut pas oublier ni renier cette partie du passé qui a fait si mal. Je dis parfois à mon entourage que je me sens comme « marquée au fer rouge ». Il y a en moi une cicatrice qui sera toujours là ; elle s'atténuera toujours un petit peu mais elle ne disparaîtra probablement jamais.

Cela fait si mal de se faire dire que le temps arrange les choses. Oui, il faut du temps, mais ce n'est pas suffisant.

J'ai beaucoup aimé, j'ai beaucoup souffert, j'ai aussi beaucoup appris. Malgré tout, aujourd'hui, je ne suis pas malheureuse. J'ai fait un bout de chemin qui m'a permis de grandir. Le fait de « côtoyer la mort » m'a beaucoup changée. Je me sens différente sous plusieurs aspects.

Je n'ai pas accepté la mort de mon garçon et je ne me suis pas obligée à l'accepter, j'en étais incapable. J'ai donc subi la mort, j'ai subi les événements, et je me suis arrangée avec ça. Pour moi, accepter voulait dire avoir la possibilité de dire oui ou de dire non. Je n'ai jamais eu ce choix ; alors, pourquoi aurais-je dû accepter ? Déjà, cette façon de voir les choses m'a aidée. Je trouvais cela plus facile ainsi.

Quelque temps après le décès, mon mari et moi nous nous sommes séparés. Je suis bien consciente que cette mort n'a pas provoqué la séparation mais n'a fait que précipiter les événements. J'avoue que cela a été difficile de passer cette période seule, du moins en grande partie seule. J'aurais voulu une épaule sur laquelle pleurer. Je voulais mourir, je ne voulais plus continuer, et cela même si j'avais un autre fils de 5 ans et demi. Je me sentais épuisée. Je n'avais plus le goût de rien, j'avais trop mal.

Quatre mois après l'accident, j'ai fait de la culpabilité et c'est à ce moment que j'ai eu à faire un choix : ou je me laissais sombrer ou je tenais le coup pour m'en sortir le mieux possible. J'ai fait un choix que je ne regrette pas : celui de lutter. Je me suis donc « remorquée ». J'ai eu quelques personnes dans mon entourage qui ont su m'écouter et me laisser pleurer.

J'avais beaucoup d'interrogations au sujet de la mort. Voulant me donner le plus de chances possibles, j'ai lu beaucoup et je suis allée aussi vers des personnes-ressources. Il y a eu tout un remue-ménage au dedans de moi. Cela n'a pas été sans heurts ni pleurs. Je me suis remise en question mais j'ai aussi réglé le problème de cette mort.

Aujourd'hui, je ne me pose plus de « pourquoi ». Pourquoi mon fils ? Pourquoi suis-je si méchante ? Pourquoi ? Pourquoi ? Un jour, j'ai trouvé une réponse qui m'a satisfaite : le destin. À partir de ce moment, je me suis sentie apaisée. Maintenant, j'ai des hauts et des bas comme beaucoup de gens, c'est tout. Il y a un bon bout de temps que la vie a repris son cours avec un plus.

Non, je ne peux pas oublier ni renier ce passé. De toute façon, je ne peux rien y changer : mieux vaut donc m'en accommoder.

Alma, avril 1988.

Croire en la vie…
Croire au miracle?

par
Françoise Fafard Sindon,
Élizabeth Fafard Sindon et Bernard Sindon

> *Je peux tout te dire et tu peux tout comprendre. Tu n'es plus le Guillaume de 3, 6 ou 9 mois ; tu n'es plus le Guillaume de 2 ans. Tu es le Guillaume de l'éternité, le petit Guillaume, le grand Guillaume, le Guillaume de mon amour éternel.*
>
> Papa.

GUILLAUME

GUILLAUME FAFARD SINDON
20 mai 1984 — 6 juillet 1986
Décédé d'une chirurgie cardiaque
à l'âge de 2 ans et 1 mois.
Textes écrits entre
novembre 1983 et août 1988.

Rosemère, le 25 mai 1987.

Mon cher Guillaume,
J'ai décidé de t'écrire ce soir pour te faire part de la bonne nouvelle. Nous avons décidé, maman et moi, d'écrire sur ta vie. Cette courte période de temps que tu as passée parmi nous vaut bien la peine d'être immortalisée par l'écriture. Tu seras surpris de constater que nous avons encore beaucoup, mais beaucoup de souvenirs de toi. Bien que dix mois se soient écoulés depuis ton décès, toute ta vie est encore présente en nous, cette vie qui n'a duré malheureusement que deux ans, un mois et seize jours.

Je suis sûr que ces écrits te permettront de montrer à tes amis du ciel comment tu étais, comment tu vivais et comment tu luttais bien au-delà de ton handicap cardiaque. C'est d'ailleurs au moment où la chirurgie a voulu corriger cette malformation que la lutte est devenue trop grande pour toi et surtout trop inhumaine. Est-ce que ça valait la peine de vivre après avoir été ainsi violé dans ce que tu avais de plus intime, ton cœur, si malformé fût-il ?

Je suis sûr aussi que tu seras content de partager avec d'autres enfants et d'autres parents tous les bonheurs et toutes les difficultés que tu as connus. Il y a en toi et aussi en nous cette évidence qu'il faut dire au plus grand nombre de personnes possible la vérité de ton expérience d'enfant handicapé du cœur.

Sois rassuré, mon petit. Il n'y aura pas, dans nos écrits, de gros mots d'érudit ni de gros maux comme ceux que la médecine t'a fait connaître. Il n'y aura que tendresse et respect pour toi, toi qui as bien voulu naître parmi nous.

Dans les pages qui suivent, maman a puisé dans son journal tous ses souvenirs de toi. Ta sœur Élizabeth t'a aussi écrit son affection et tu trouveras ensuite notre correspondance intime entre père et fils.

Tu peux enfin te reposer en paix, Guillaume. Nous sommes là pour témoigner pour toi et pour témoigner de toi.

Veille à ce que le bonheur, l'amour et la joie que tu nous apportais de ton vivant se transposent dans notre témoignage. Veille aussi à ce que ta bravoure nous inspire.

Affectueusement.
Papa.

J'ai puisé dans mon journal pour raconter mon désir de Guillaume et faire connaître sa courte vie afin de rappeler à tous ceux qui m'aiment et de faire comprendre au lecteur inconnu toute l'importance que mon petit garçon avait dans ma vie.

De novembre 1983 à mai 1984

Je découvre que je suis enceinte. Quelle joie ! Cette fois, nous allons prendre les grands moyens pour que cette grossesse arrive à bon terme. Cela fait déjà trois fois que je perds un enfant et je ne veux plus que cela arrive. Nous consultons un médecin qui accepte de me mettre au repos dès le début afin d'améliorer mes chances de succès. Je reste bien tranquille à la maison à faire des activités régulières, sans me fatiguer. Cette période d'arrêt m'est bénéfique. Je peux profiter de toi dès le début. Je me sens bien et tout se déroule normalement. Je peux me reposer, lire et dormir autant que j'en ai besoin. Je me remets au piano et nous faisons de la musique ensemble. C'est une très belle période. Certes, je suis un peu inquiète, mais au fur et à mesure que le temps passe, je me rassure et je me dis que toi tu sembles vouloir faire tout le chemin avec moi. Je te garderai jusqu'à ce que tu sois assez fort pour te détacher de moi. Que j'aime t'avoir toujours avec moi ! Que j'ai de la chance de pouvoir vivre cette intimité, cette relation intense et unique ! Mon ventre grossit vite et très tôt je commence à sentir tes mouvements. Je les guette. Dès ce moment, je ne suis centrée que sur toi, que sur nous. Et que de projets nous élaborons en famille ! C'est une période d'espoir et de croyance en la vie. Puis arrive ce jour où tu seras séparé de moi. Le 20 mai 1984, cinq semaines plus tôt que prévu, fut le début d'une autre vie pour nous deux.

22 mai 1984

Nous apprenons que ton cœur est malformé et que ce problème est grave. Je ne comprends pas tout ce que le médecin m'explique. Je sais seulement que tu vivras avec nous ainsi. Je m'occuperai tellement de toi que tu surmonteras ce handicap. Tu seras opéré, nous dit-elle. Je n'arrive pas à te voir être opéré et cette image me reviendra constamment par la suite. Pourquoi ? Je n'en sais rien.

31 mai 1984

Tu arrives à la maison. Que nous attendions ce jour ! Ici, rien de fâcheux ne pourra t'arriver. Nous t'aimons tellement, papa, Élizabeth et moi, que tu ne pourras que développer un goût de vivre qui te fera gagner toutes les luttes.

Été 1984

Tu te développes bien. Ton cœur t'empêche de prendre du poids, mais non pas de grandir. Ton médecin souhaiterait que tu boives deux fois plus de lait que tu n'en bois et que, de plus, tu commences à manger. D'après elle, c'est la seule façon de nourrir un enfant qui a une malformation cardiaque. Elle me dit à sa façon que si je ne réussis pas cet exploit, je ne suis pas une bonne mère. Elle doit bien constater cependant, après quelque temps, que mes soins te sont bénéfiques. Tu grandis et tu te développes. Tu souris beaucoup et tes nuits deviennent vite régulières. Tu es un bébé facile et heureux.

De l'automne 1984 à mai 1985

Tu as attrapé deux rhumes pour lesquels on a dû t'hospitaliser. La première fois, ce ne fut pas grave, mais nous avons quand même été inquiets. Nous ne te laissons pas seul à l'hôpital. Papa ou moi sommes toujours avec toi. Tu as passé deux jours sous la croupette avec de l'humidité, puis tu es revenu à la maison. Bien sûr, il faut continuer à te donner tes antibiotiques pour prévenir toute infection pulmonaire et pour s'assurer que rien n'obstrue tes inquiétants poumons, et je dois te faire du « clapping ». Tu n'aimes pas beaucoup ce traitement et moi non plus. Mais nous avons dû nous y habituer, car c'est un moyen que j'ai dû utiliser au moindre rhume.

Puis, à 8 mois, tu dois être hospitalisé aux soins intensifs pour un rhume qui s'est compliqué. Un de tes poumons s'est complètement bloqué. Nous avons eu très peur, mais tu t'en es sorti. Nous avons été là près de toi tout le temps. Après ce séjour à l'hôpital, tu as cessé de jacasser pendant un moment et tu as régressé un peu. Tu étais un bébé qui dormait des nuits entières depuis l'âge de 3 mois, mais là tu as commencé à te réveiller la nuit. Tu voulais boire. Tu avais très faim. On aurait dit que cette lutte que tu avais menée pour guérir t'avait donné un regain de vitalité. Tu es devenu un bébé actif et fouilleur. Ta marchette est devenue ton véhicule préféré. Tu découvres les trésors cachés dans les armoires et les tiroirs. Tu fais des ménages rapides en vidant tout avec un plaisir évident. Tu découvres, en riant aux éclats, de nouvelles cachettes pour jeter tes trouvailles. Il faut commencer à te protéger en éliminant les objets dangereux.

Puis, avec le printemps, que tu es heureux de jouer dehors au soleil, de te promener dans la rue, de rencontrer tes amis ! Tout le quartier te connaît et tu deviens tout excité quand une balade s'annonce. Ton large sourire éclaire tes beaux yeux bleus et il est difficile de rentrer à la maison sans quelques cris de protestation.

20 mai 1985

Nous fêtons ton premier anniversaire. Tu es un beau petit garçon curieux et enjoué. Tu as gagné une première lutte. Tu as un an et cette première année était la plus dangereuse. Plus petit, tu étais évidemment plus fragile. Mais tu es là, plein de vitalité et de goût de vivre. Tu reçois ton premier tricycle, offert par ton parrain et ta marraine. Tu es un peu petit pour le faire avancer, mais tu peux le faire reculer et ça nous amuse tous. Nous sommes toujours très centrés sur toi. Tes découvertes sont notre joie. Mais tu nous rends bien notre amour, tu sais.

De mai 1985 à juillet 1986

L'été, c'est ta saison. C'est la mienne aussi. Nous sortons tous les jours en poussette ou en marchette. Tu continues de bien te développer. C'est une deuxième année pleine de découvertes et d'exploits. Tu commences à marcher et tu en es très fier. Tu as mis du temps à oser te lancer dans la maison. Il a fallu que tu sois capable de te traîner, ce que tu ne faisais pas encore. Ton cœur malformé te met des limites sur le plan de la force physique. Mais tu finis par y arriver quand même. Tu es un petit garçon très déterminé. Tu aimes jouer. Très vite, tu découvres le plaisir de faire des casse-tête, de jouer avec les « Lego ». Tu construis et tu détruis. Tu n'arrêtes pas beaucoup et tu sembles ne jamais t'ennuyer. Tu adores la musique et tu peux jouer seul longtemps en autant que Passe-Partout ou Grand-Père Cailloux te tiennent compagnie. Lorsque nous avons des visiteurs, tu deviens très excité. Tu n'acceptes pas volontiers d'aller dormir et nous devons souvent te laisser veiller jusqu'à ce que la fatigue prenne le dessus.

Tu aimes bien jouer à imiter papa qui s'en va travailler. Tu fermes la porte sur toi-même en envoyant de gros bisous. Tu attends le retour de ta sœur par la fenêtre du salon et tu l'accueilles par des cris de joie. Que tu l'aimes, ta sœur ! Tu imites tout ce qu'elle fait. C'est avec elle que tu danses, que tu joues au chien et au chat ou à la cachette. Tu ris beaucoup avec Élizabeth. Tu adores fouiller dans sa chambre et écouter sa musique. Ce qui te plaît surtout, c'est de mettre et d'enlever la cassette. Tu as la main un peu brusque, d'ailleurs, ce qui lui a valu quelques cassettes brisées. Elle ne t'accueille pas toujours à bras ouverts, car tu déranges son univers. Mais elle finit toujours par succomber à tes cris et elle t'ouvre alors sa porte. Tu es un touche-à-tout insatiable : allumer et éteindre la télévision, mettre en marche le lave-vaisselle, jouer avec des réveille-matin, des petites radios, etc. Nous devons te délimiter des aires d'exploration et te refuser certaines expériences, à ton grand désespoir.

Pendant cette année, cependant, il y a eu de nombreuses visites à l'hôpital pour des examens de routine, pour tes rhumes qui nous inquiétaient beaucoup, puis on t'a découvert une hernie de l'aine quand on a fait ton cathétérisme cardiaque. Ce n'était pas grave. Plusieurs enfants nés prématurément passent ainsi leur vie entière sans en être incommodés. Mais, nous dit le médecin, si un jour il y avait une crise aiguë et qu'il faille t'opérer d'urgence et que tu ne sois pas en forme... Alors, par mesure de précaution, il a fallu accepter qu'on t'opère. Ce ne fut pas long... vingt-quatre heures à l'hôpital... mais opération signifie anesthésie. On t'a arraché de mes bras pour t'emmener dans une salle où, durant quelques minutes, tu as eu peur, c'est certain. Il est normal d'avoir peur à 17 mois, mais ça s'oublie, nous disait-on. Oui, ça s'oublie, mais ça s'inscrit aussi quelque part. Le lendemain, on te ramenait à la maison. On t'entourait, on te gâtait. On voulait tellement que tu guérisses... de tout. On t'aimait tant... Tu avais attrapé un virus à l'hôpital. Tu as fait de la fièvre et le petit problème de rien du tout s'est prolongé. Tu t'en es sorti et tu es redevenu un bébé enjoué et gourmand.

Un mois plus tôt, il y avait eu ton cathétérisme cardiaque. C'était un examen qui était indispensable dans ton cas. Le médecin devait voir plus précisément le fonctionnement de ton cœur. Là aussi, tu as dû être hospitalisé pendant vingt-quatre heures. Là non plus, ce n'était pas grave, aux dires des médecins. Mais tu as dû affronter seul ces grands spécialistes. Papa et maman n'étaient pas admis dans la salle d'intervention. Tu as toujours été un brave et courageux petit garçon. Revenu à la maison, tu as eu une fièvre « inexplicable ». C'était sans doute ta façon de réagir, de dire ta peur. Puis tout est rentré dans l'ordre. Le médecin était bien content de ne découvrir rien de plus que ce qui avait déjà été diagnostiqué. Après cet examen, tu te rapprochais à grands pas de ton opération à cœur ouvert. Nous avions très peur. Tu devais être opéré en février, mais, le médecin qui te connaissait si bien étant en vacances, nous avons préféré attendre. Nous voulions qu'elle soit présente, car nous nous imaginions qu'elle pourrait te suivre de près. Quel rêve nous avions ! Le chirurgien nous a accordé une rencontre où il nous a expliqué ce qu'il devait te faire. J'étais morte de peur. Il s'agissait d'une grosse opération qu'il avait pratiquée à sept ou huit reprises, nous disait-il.

Puis nous devions attendre ce moment si grave. L'attente ne fut pas sans souci. Tu te portais bien, mais tout à coup les ganglions de ton cou se sont mis à enfler sans raison, sans rhume ni fièvre. Les examens n'ont rien révélé à l'exception de l'enflure des adénoïdes. Il a fallu qu'on t'opère encore une fois et que, de plus, nous fassions entièrement confiance au médecin. Il verrait sur place s'il ne devait enlever que les adénoïdes ou s'il devait aussi enlever les amygdales. Nous n'avions rien à dire, étant tout à fait ignorants, selon les médecins... Il a tout enlevé, même si tu n'avais jamais fait d'amygdalite. De plus, il a mis des tubes dans tes oreilles. Tu n'avais jamais fait d'otite. Il fallait prévenir toute complication. Cette période a été difficile. Tu avais très mal. Tu ne voulais pas manger et tu avais peine à dormir. Nous sommes devenus très fatigués tous les deux. Puis le chirurgien a accepté de te faire une prescription qui t'aiderait à dormir. Une bonne nuit de sommeil t'a permis de récupérer. Tu t'es remis à manger et la vie a repris le dessus. Tu t'en es bien sorti encore une fois.

Cette intervention a retardé ton opération au cœur. Nous avons arrêté de te lire le livre expliquant l'opération aux enfants. Tu ne voulais plus le voir, d'ailleurs. Jusque-là, cette histoire prise au bureau du chirurgien t'avait beaucoup intéressé. Tu ne savais pas encore ce qui arriverait. Mais ton expérience des amygdales t'a enlevé le goût d'entendre parler de faire réparer ton cœur. Tu avais eu très mal et tu ne voulais plus que ça arrive. Nous aurions dû t'écouter. Toutes sortes d'événements ont d'ailleurs retardé à plusieurs reprises cette monstrueuse intervention : piqûres de maringouins, boutons sur les fesses (que tu n'avais d'ailleurs jamais eus auparavant). Pourquoi n'avons-nous pas compris ? Nous espérions le miracle.

Du 2 au 6 juillet 1986

Tu es arrivé à l'hôpital en toute confiance. Tu jouais, tu riais, tu grimpais partout...

Tu avais peur en nous quittant, mais quand on est petit comme toi, on n'a pas le droit de parole. Ils t'ont endormi et ils ont fait leur expérience. Elle a échoué.

Mercredi, 2 juillet, 16 h

Guillaume sort de la salle d'opération. Tout a bien marché. Le docteur X est très fier de sa performance. « Il pourra vivre normalement et même faire du sport », nous dit-il. C'est lui qui devra assurer le suivi car le docteur Y s'en va en vacances. Ce dernier, qui n'est revenu que pour l'opération, a la réputation de rester auprès de ses patients aussi longtemps que nécessaire, de suivre lui-même le déroulement de la situation et d'intervenir dès qu'un problème se pose. Le docteur X ne semble pas intéressé par le suivi quotidien. Il est habile au meccano. Il s'est bien amusé et a tout remis en place en suivant le modèle. Mais il n'a pas su rendre la vie à sa construction. Il n'en était pas capable. Nous lui avions fait confiance. Quelle naïveté ! Seule la reconstruction l'intéressait. Si elle avait bien marché, il s'en serait attribué tout le mérite. Mais t'apporter sa présence continue et sa science pour supporter ton nouveau cœur, cela ne l'intéressait pas.

L'intervention était tellement compliquée et délicate qu'ils devaient être deux chirurgiens, afin de se consulter. Par la suite, ils t'ont confié à un résident et aux infirmières. Pourquoi ? Comment se fait-il qu'il n'y ait pas eu plus de suivi après une intervention si grave ?

Dès la première chute de pression, le résident a changé le médicament calmant que Guillaume recevait parce qu'il ne connaissait pas ce médicament prescrit par le docteur X. Ce changement n'a pas eu un très bon effet. Guillaume est devenu très agité parce qu'il était conscient de ce qui lui arrivait. Les médecins nous affirmaient le contraire, mais lorsqu'un enfant ouvre les yeux, pleure et réussit à nous faire comprendre qu'il veut boire, lorsqu'il dit « maman » et fait oui ou non de la tête lorsqu'on lui pose une question, il a un niveau de conscience certain. Il est conscient de la souffrance, des voix trop fortes, des appareils, des tubes, des bruits nombreux et il a très peur. Il est en panique, il s'énerve et en demande trop à son nouveau cœur. Dans son lit, il est observé comme un animal de laboratoire. On ne tient pas compte du fait qu'il s'agit d'un petit garçon de 2 ans, éveillé et intelligent, mais qui ne comprend pas ce qui lui arrive. Il est tout de même assez conscient pour réagir quand son père ou moi lui parlons et sa pression se replace alors très vite.

Pendant que Guillaume se débat ainsi, surveillé par le résident qui fait tout son possible mais qui manque d'expérience, le grand patron est dans son laboratoire. Plusieurs personnes interviennent mais ce ne sont jamais les mêmes. Tantôt c'est un anesthésiste, tantôt un autre, tantôt un résident en anesthésie, tantôt un autre. C'est incroyable, mais tout le monde propose son intervention. Il n'y a pas de plan de traitement dicté par le responsable. On éteint les feux et c'est tout. Vers 19 h, le 3 juillet, survient une autre chute de pression qui amène l'intervention d'un autre médecin, c'est-à-dire de celui qui était le plus près de Guillaume à ce moment. On dirait que mon petit est dans une clinique d'urgence plutôt qu'aux soins intensifs. Cette fois, cependant, le docteur Y intervient. Il s'assoit au pied du lit et analyse ce qui a été fait ou devrait être fait. Le médicament qui contrôle la pression coule dans le lit au lieu d'entrer dans la veine. « As-tu vu ça ? », demande-t-il au résident. Puis il décide de revenir au médicament initial, celui que le résident avait éliminé au départ parce qu'il ne le connaissait pas.

De plus, il décide d'utiliser du curare* pour empêcher Guillaume de bouger. Puis il disparaît. C'est l'interne qui est responsable pour la nuit, c'est-à-dire que l'infirmière peut l'appeler au besoin. Il est très fatigué, ayant très peu dormi depuis trente-six heures. Le lendemain, vendredi, le grand patron fait sa tournée avec un nouveau venu, résident depuis quelques jours seulement en chirurgie cardiaque. C'est lui qui s'occupera de Guillaume aujourd'hui. Je suis inquiète et nerveuse. L'infirmière me rassure en me disant qu'elle connaît bien les médicaments et les traitements habituellement utilisés et qu'elle peut discuter avec le médecin s'il semble faire des prescriptions inadéquates. C'est gentil de sa part, mais peu rassurant. Mon bébé est entre la vie et la mort et je dois me fier à quelqu'un de dévoué. Pourtant, je l'avais confié à un médecin dont la réputation de compétence, de prudence et de dévouement n'était plus à faire. Que s'est-il produit pour que Guillaume se retrouve dans un tel pétrin ? Pourquoi un cas si grave et si rare est-il laissé aux soins d'infirmières, certes dévouées, et d'un résident débutant et très peu disponible ? Où avons-nous été leurrés ? Ont-ils brisé ainsi mon bébé simplement pour essayer de réussir, pour être les premiers ? Aujourd'hui, j'en ai l'impression.

Pendant la fin de semaine du 5 et du 6 juillet, le docteur X est bien obligé d'intervenir car le résident est introuvable. L'infirmière a besoin de lui le vendredi soir, mais elle ne peut le rejoindre... Il a disparu. Seul le docteur X est au poste, c'est-à-dire que l'infirmière peut le rejoindre chez lui. Cependant, Guil-

---

* Médicament employé en anesthésie pour supprimer la contraction des muscles.

laume et son petit compagnon de chambre, qui a 11 mois, sont très mal en point et il n'y a aucun chirurgien sur place. L'infirmière est en contact constant avec le médecin par le moyen du téléphone.

Ce dernier arrive d'urgence vers 6 h, samedi matin, car Guillaume a fait une autre chute de pression. Bernard, qui a passé la nuit auprès de Guillaume, a vu la pression baisser graduellement, mais l'infirmière ne pouvait rien faire d'elle-même. Le docteur X, épuisé par ses nombreuses heures sans sommeil, réajuste tous les médicaments et mon petit passe une journée calme. Je suis près de lui tout le temps, et lorsque je retourne à ma chambre à l'hôpital vers 3 h, dimanche matin, tout semble bien aller. Le médecin est rentré chez lui et l'infirmière l'appelle régulièrement.

Vers 7 h, dimanche matin, je me réveille en sursaut après quatre heures de sommeil, convaincue que Guillaume m'appelle. J'ai une boule dans la poitrine, j'ai le souffle court et la bouche sèche. Quelques secondes passent… et le téléphone se fait entendre. C'est Bernard qui me dit de venir d'urgence. Le docteur X est déjà revenu. Je sais que mon bébé a commencé à me quitter. Je me sens anesthésiée. Après cette autre chute de pression, Guillaume se replace un peu, mais le médecin décide d'ouvrir une veine au moyen d'une petite intervention chirurgicale afin de mieux installer les solutés. Ce fut le coup fatal. On ne l'avait ni bougé ni lavé depuis quatre jours, de peur de le déranger, et là, dans un moment des plus critiques, dans un moment de grande fragilité, on décide de faire une incision. Il n'a pu supporter cette agression. Son cœur, qui avait tant de peine à s'habituer à son nouveau modèle, a flanché pour la dernière fois.

Je l'ai supplié de ne pas nous quitter. Je n'arrivais pas à y croire… Il était assez conscient pour entendre nos cris de désespoir et il a réagi. Le docteur X lui donnait quelques minutes à vivre. Il a vécu quatorze heures. Il a fait un effort immense pour rester avec nous le plus longtemps possible. Il était dans mes bras, mais déjà loin. Il nous a quittés après avoir été très mutilé.

8 juillet 1986

Guillaume, mon petit, tu n'es plus...
Tu m'apportais tout
Je t'aime. Bravo pour ta force, bravo pour ton courage
Merci pour ton amour
Tu m'as appris à communiquer
Tu savais dire les choses, même sans paroles...
Tu nous es toujours revenu
Malgré tout ce que tu as subi
Mais cette fois, ils étaient trop forts
Ils t'ont tué... C'est vraiment ce que je ressens.

Saint-Aubert, juillet 1986

Pendant les quelques heures où j'ai réussi à dormir dans ces trois nuits passées à la campagne, j'ai toujours rêvé que Guillaume était avec nous. Ce rêve me revient à la mémoire. Guillaume est à l'hôpital. Il a encore un tube dans le nez. Je n'ai qu'à signer un papier pour qu'on le lui enlève. Je vais le faire et ça va être fini. Il va sortir. Il est assis dans son lit et il est de bonne humeur.

Août 1986

Que tu me manques, mon petit Guillaume ! Avant de te porter, je ne connaissais pas la vie. Tu me l'as fait découvrir en me donnant une raison de la vivre. Aujourd'hui, tu es parti et je tourne à vide.

Tu n'as fait qu'un petit bout de chemin avec nous. Tu nous avais choisis en sachant combien mon désir d'un enfant était grand.

Tu étais petit, mais tu étais grand aussi. Tu savais déjà aimer et consoler. Tu savais t'affirmer. Ils se sont mis à plusieurs pour te tuer. Je suis sûre que tu ressentais beaucoup de choses malgré tes calmants.

Je voudrais te rejoindre. Mais où es-tu ? Je ne pourrai plus jamais te bercer. Que j'aimais ce moment seul avec toi à la maison l'après-midi ! Nous avions notre petite routine.

Pourquoi es-tu parti ? Pourquoi les ai-je laissés faire ? Je leur faisais confiance, mais ils t'ont vite abandonné et je ne m'en suis pas rendu compte. Et pourtant je savais dès le début. J'ai été inquiète dès le début. Ils ont vite abandonné la partie et ils t'ont laissé seul avec leur machine.

J'en étais arrivée à souhaiter cette opération tellement nous nous y étions préparés depuis longtemps. Tu devais la subir il y a quatre mois. Quelle chance que ce ne soit pas arrivé plus tôt ! Tu seras resté avec nous quatre mois de plus.

Fin août 1986

Mon amour, pourquoi m'as-tu quittée ? J'ai tellement de douleur et de tristesse. Je suis perdue sans toi. Tu étais mon moteur, ma motivation, ma vie. Je flotte et je risque de me fracasser au moindre obstacle. Je ne veux plus vivre. Je veux te rejoindre. Comment faire ? La douleur ne fait pas mourir. Où es-tu ? Me vois-tu ? Es-tu heureux ?

3 septembre 1986

Quelle prison ! Je suis paralysée de toutes parts. Seul mon esprit bouillonne et souffre. Que la vie est longue sans toi. Mais je n'ai pas le droit de laisser papa et Élizabeth seuls, pour te retrouver. De toute façon, je n'ai aucun contrôle là-dessus. Et je voudrais tellement être bonne pour avoir le droit de te rejoindre. Être avec toi, c'est mon plus cher désir. Mais je me sens si petite, si méchante et si jalouse du bonheur des autres. Pourrais-je me retrouver dans le même monde que toi avec toute ma colère, mon amertume ?

4 septembre 1986

J'étais tellement fière de dire : « J'ai deux enfants, une fille et un fils. » Maintenant, on dirait que j'ai honte. On dirait qu'en plus de ma peine et de ma colère j'ai honte d'avoir perdu mon fils. Je ne comprends pas ce sentiment. C'est comme si j'avais été punie pour quelque chose de méchant que j'aurais fait.

Pourquoi n'ont-ils pas voulu t'aider le dimanche matin ? Avaient-ils perdu tout espoir ? J'aurais dû insister. J'aurais dû demander. Je t'ai abandonné. Pourquoi ai-je fait cela ? Je ne réalisais pas que c'était la fin. Je t'ai laissé seul. Pourquoi, mon Dieu ?

Je veux te revoir, Guillaume. Je veux être avec toi. Il m'apparaît impossible que tu ne sois plus là. Je t'attends toujours. L'irréparable n'est pas arrivé. Tu étais trop en forme le 1ᵉʳ juillet. Tu grimpais partout, tu riais, tu jouais. Il s'agit sûrement d'un mauvais rêve.

9 septembre 1986

Retour à mon travail. La vie dans l'école... les enfants des autres. Comme j'ai la nostalgie de mes journées tranquilles à la maison, seule avec Guillaume ! Où es-tu ? Pourquoi m'as-tu laissée ? Quand vas-tu revenir ? Quand vais-je te voir ? Tu sais, je ne voulais pas t'abandonner. Tu t'es débattu comme à chaque fois, mais cette fois c'était trop dur. Je n'ai peut-être pas été assez adéquate, mais je ne pouvais pas te prendre ou te bercer. Il t'aurait fallu attendre, avoir confiance et te reposer calmement pour guérir. Mais tu t'es débattu et cet effort a été trop grand pour ton nouveau cœur.

J'étais tellement contente que tu sois passé à travers l'opération. J'étais inadéquate. Je ne savais pas quoi te dire ni comment te rassurer. As-tu beaucoup souffert ? T'es-tu senti seul et abandonné ? Nous étions là, papa et moi, et nous étions très inquiets. Tu sais tout ça, n'est-ce pas ?

Ta présence, ta vie pendant deux ans a été mon plus gros lot de bonheur. Maintenant, c'est fini. Qu'adviendra-t-il de moi ?

Le sais-tu ? M'aideras-tu ? Non, ce n'est pas possible que tout soit terminé, fini.

Semaine du 15 septembre 1986

C'est une dure semaine. Lundi, nous avons rencontré une travailleuse sociale qui peut nous aider à vivre cette période. J'en suis sortie très tendue. Cette tension persiste toute la semaine. J'ai hâte de la revoir seule.

Jeudi soir, je vais spontanément au salon mortuaire voir le père d'une collègue de travail, qui vient de mourir. Que c'est dur ! Je n'avais pas réalisé ce que je faisais. Cet homme est maintenant près de mon bébé. Qu'il est chanceux ! Toute la lutte qu'il a menée pour tenter de rester avec les siens, mon petit amour l'a faite à 2 ans. La nuit suivante, je rêve à Guillaume et à ce monsieur que je ne connais pas. Heureusement qu'il y a mes rêves, car dans mes rêves Guillaume vit toujours.

Mardi, le docteur Y m'a téléphoné. Que je me contrôle donc partout ! Parler au docteur Y, aider Élizabeth à l'école, donner du soutien à Bernard dans son nouveau travail. Je suis fatiguée. Le cœur me fait mal. Je dors peu. Guillaume est toujours là en images et en pensées. Je voudrais être toujours avec toi, ne pas avoir à m'occuper d'autre chose, te parler, te voir. Je sais, je sens que tu es ici. Entends-tu la musique ? Tu l'aimes tellement. Viens me retrouver.

23 septembre 1986

J'ai revu la travailleuse sociale seule. Je suis fatiguée d'expliquer. Je fais part de ce que je ressens, et tout ce que je demande, c'est qu'on me croie et qu'on me comprenne. Je sais que je fais beaucoup de choses. Je sais que j'ai mal, terriblement mal. Je ne veux pas faire plus ou être différente. Je veux qu'on me laisse vivre ma peine et qu'on arrête de me demander de faire des choses pour m'aider ; pas d'exercices de détente, pas de visites ou de visiteurs. Je veux vivre en paix avec toi, Guillaume.

J'ai l'impression de devenir raide de partout. Je suis figée comme la mort. Je veux la paix.

23 septembre 1986

Presque chaque nuit, dans les quelques heures où j'arrive à dormir, je rêve de Guillaume. Même mon inconscient nie la réalité. Il fait revivre mon enfant tel qu'il était, joyeux et espiègle. Les réveils me révoltent.

Je n'ai aucune envie de vivre... pour moi. Je veux aider Bernard dans son nouveau travail et ne pas être un poids trop lourd pour lui. Il faut que je travaille car je suis le principal gagne-pain actuellement. Élizabeth a besoin de tout son temps et de beaucoup d'attention pour réussir à l'école. Et c'est essentiel qu'elle réussisse. Que puis-je faire par rapport à tout cela avec mon sens du devoir? Le départ de Guillaume ne m'a pas changée. Il m'a enlevé mon moteur et ma motivation.

25 septembre 1986

Je te veux, mon amour. Où es-tu? Maman est seule. Élizabeth dort et papa travaille. Je devrais aller dormir. Je sais que je suis fatiguée. Mon cœur me fait mal. Mais je suis si seule sans toi. Dormir me fait peur. Est-ce que je veux guérir? Je me sens si malheureuse. Mais je ne pourrai jamais être heureuse sans toi. Parfois, je voudrais crouler et que tout soit fini. Papa pense qu'il est heureux. Il est content, ça c'est certain. Tu sais, ça va bien dans son travail. Il est fier de lui. Je suis contente pour lui. Je voudrais qu'il soit heureux. Je voudrais aussi qu'Élizabeth soit heureuse. J'essaie de poser des gestes pour qu'ils le soient. Pourquoi m'as-tu quittée? Je me sens tellement impatiente et agressive envers tous ces petits qui vivent. Pourquoi eux et pourquoi pas toi?

1er octobre 1986

Mon chagrin est trop grand. J'ai beaucoup perdu. Pourquoi me faut-il vivre ? Reviens-moi. Que ça me demande d'amour pour vivre ! Une somme d'amour que je ne possède pas. Je suis si fatiguée. Toutes ces femmes heureuses avec leurs enfants... connaissent-elles leur bonheur, leur richesse ? Peu la soupçonnent. Mon désir était si grand, si grand. Je ne puis accepter ce vide. Ce vide ou la mort... Qui suis-je ? Je ne vis plus. Toutes ces émotions si touffues, si denses, si douloureuses...

10 octobre 1986

Je viens de voir danser Guillaume dans mon rêve. C'est le téléphone qui a coupé cette vision. Nous étions dans un chalet en vacances. Il y avait beaucoup d'autres chalets alentour. Il faisait beau. Toute la famille était là... Et Guillaume commençait à danser... Je hais les réveils.

13 octobre 1986

Entends-tu la musique ? Tu aimes tellement la musique. Guillaume, je suis tellement pleine de colère de ne plus t'avoir avec moi. Je ne veux pas passer Noël. Papa en a parlé avec ta grand-maman. Moi, je ne veux pas. Pourquoi me faut-il vivre ?

14 octobre 1986

Quand je dis que je veux mourir, je dis à quel point j'ai mal et je suis découragée. Peut-on s'accrocher à la vie autant que ça ? Avec un cancer moral aussi souffrant... Est-ce si important, la vie ? Je ne m'étais jamais posée cette question, car j'ai toujours eu de l'espoir. Mais sans espoir, à quoi ça sert de vivre ? Vivre pour rester en vie ? Un gros morceau de moi est parti. Il ne me reste que la colère. J'ai l'impression de ne plus avoir de place pour l'amour, pour la détente. J'aurais le goût de partir seule, de m'enfermer, de ne plus sortir, de ne plus voir personne. Je ne veux pas mourir pour mourir. Je veux mourir pour rejoindre Guillaume.

Quand je suis triste, Bernard peut me tolérer. Il aime la tristesse. Il vit bien avec ce sentiment. Quand je suis en colère et blessée, il s'en va. Il analyse et regarde. Il a peur. Il n'est plus bien.

Si mon cœur pouvait éclater. Si je vis, est-ce que je vivrai pliée en deux de dégoût, d'écœurement, de souffrance ? Je ne savais pas que toute cette merde pouvait exister. Je glisse dedans. Ça pue. Je m'en vais à une mort certaine, à une mort en vie, une vie étouffée par la haine et la colère contre la vie.

J'ai rencontré une amie qui m'a aidée à devenir plus calme et plus positive. Elle me dit que j'ai le choix entre tout détruire autour de moi ou construire quelque chose de solide et de bon. Il est vrai que je suis à un carrefour : celui de l'amour ou de la haine. Bernard a déjà choisi la vie et le positif. Moi, je me promène d'un pôle à l'autre. Je vis pour les autres. Je m'occupe d'Élizabeth et de Bernard. Je m'oublie. Ou je hais, je me renferme en moi-même, je détruis tout. C'est moi qui choisirai, et moi seule. Les gens vont continuer d'être heureux autour de moi. Personne ne viendra me rejoindre dans mon malheur. Je devrai supporter leur bonheur et accepter de vivre avec mon malheur.

15 octobre 1986

Est-ce que je veux le bonheur ? Actuellement, je ne le veux pas. Je ne le cherche pas. Pour moi, il est foutu. Il n'existe pas. Il n'est que de la foutaise, un mot inventé par tous les fumistes de la terre et qui ne recouvre aucune réalité.

Ma motivation a souvent été de ne pas déranger. Je n'ai jamais pris ma part de vie, mon droit réel à la vie, sauf dans mon désir d'avoir un enfant. La vie s'est foutue de ma gueule. Mon seul désir de vie m'a détruite. Que me reste-t-il ? Il paraît que j'ai des choix ?

2 novembre 1986

Rêve : Guillaume revient à la maison. Le premier jour, il ouvre les yeux. Le deuxième jour, il se lève et commence à marcher lentement, puis plus sûrement. On se dit que c'est bizarre parce qu'à l'hôpital il était considéré comme mort. Ici, on se rend compte qu'il est vivant. Il est faible, sérieux, mais vivant.

C'est un rêve qui dure longtemps et qui s'écrit rapidement. Je suis très découragée en me réveillant de constater encore une fois la réalité.

Bernard a l'air heureux. Il trouve que ça va bien. Ça me soulage de voir que lui au moins vit assez bien. De mon côté, j'ai la sensation de ne tenir qu'à un fil de vie. Je ne suis que tristesse et tension. Élizabeth rit beaucoup. J'espère qu'elle est heureuse.

Est-ce que je rejoindrais Guillaume si je mourais ? Peut-être que je n'ai pas encore appris assez l'amour. À quoi me servirait de mourir si je ne suis pas avec Guillaume ? Quelle est la vie après ? Pourquoi n'es-tu resté ici que deux ans ?

Début décembre 1986

Nous rencontrons le docteur Y à son bureau. Nous avions demandé cette rencontre il y a plusieurs mois. Il s'est enfin décidé à nous recevoir. Et là, il nous explique des choses que nous prendrons quelque temps à assimiler, mais qui ne font qu'amplifier notre colère. Certaines questions ne surgissent qu'une fois revenus à la maison. Bernard le rappelle aussitôt pour les lui poser. Mais ce n'est qu'après deux mois d'appels répétés que nous aurons enfin nos réponses.

28 décembre 1986

Nous sommes allés à Québec passer le temps des fêtes comme quand tu n'étais pas là. Mais, cette année, l'espoir non plus n'y était pas. Comme tu me manques, mon bébé. Lise,

Édouard et grand-maman ont été tous très gentils au réveillon. Ils ont bien pris soin de notre peine.

Papa fait tourner un disque comme au temps où nous étions heureux.

Pourquoi t'ai-je confié aux médecins ? Que j'ai agi à la légère ! Tu as eu mal, je le sais. Ils t'ont mutilé. Si nous avions attendu, peut-être que dans quelques années il y aurait eu une autre forme d'intervention qui serait devenue possible. Guillaume, je m'ennuie de toi à en mourir.

Hier soir, chez Manou, il y a eu une réception. Personne, sauf Claude et Gaétan, n'a parlé de toi. Personne ne s'est informé de nous. Après observation, P a constaté que j'étais courageuse. Que c'est « fret » !

Où es-tu ? Es-tu bien, au moins ? Je n'arrive pas à croire que tu peux être quelque part mieux qu'avec moi. Où est-ce, mon amour ? Pourquoi ne viens-tu pas me voir plus souvent dans mes rêves ? Viens me consoler. Viens te coller près de moi. Viens me crier « maman ». Guillaume, je t'aime et je te veux. Viens, je t'en supplie. Je ne te vois plus. Je ne te sens plus. M'as-tu abandonnée ? Je ne peux pas accepter de vivre sans toi. À quoi sert la vie ? À vivre l'enfer.

1er janvier 1987

C'est le jour de l'An, jour où on se souhaite une bonne année et la réalisation de tous nos vœux de bonheur. Ces belles paroles, je ne peux pas les prononcer car je n'y crois plus. Un danger me menace toujours. Papa m'a dit aujourd'hui qu'il pensait qu'il allait mourir. Il serait heureux car il te rejoindrait, bien sûr. Est-ce cela que me réserve 1987 ?

Mon bébé, sois présent à moi. Il paraît que tu es toujours là, mais que je ne peux te voir. Fais-toi sentir à moi. Tes caresses me manquent, ta présence si grande, tes tours, tes baisers, tes tendresses. Tu occupais toute ma vie.

1986, ton année de départ est finie. Ça fera bientôt six mois que tu es parti, que tu nous as laissés. Élizabeth t'a demandé beaucoup d'aide et de support pour 1987. Tu l'aimes toujours beaucoup, ta grande sœur ? Suis-la et aide-la. Aide aussi papa et maman à vivre. Nous sommes les petits maintenant et tu es le grand, le sage. Éclaire nos voies. Fais-moi découvrir une raison de vivre. J'ai peur de 1987. Élizabeth a l'air soulagée que 1986 soit finie. À 14 ans, on a confiance. Guillaume, viens rire ou pleurer dans mes rêves. Aie pitié de moi.

9 janvier 1987

Hier, mon beau coco, je t'avais demandé de venir me voir dans mes rêves. Tu es venu. Cela faisait longtemps qu'on s'était vus. Tu t'es jeté dans mes bras. On s'est collés. On s'est donné des baisers.

Début février 1987

Bernard finit par parler au docteur Y au téléphone. La secrétaire de ce dernier a eu la gentillesse d'organiser un rendez-vous téléphonique, car le médecin ne retournait jamais ses appels. Le docteur Y confirme ce que nous soupçonnions depuis la rencontre que nous avions eue avec lui au début du mois de décembre. On nous a menti. Les docteurs Y et X n'avaient opéré qu'un ou deux enfants de 2 ans, mais sans succès. Ma colère et ma révolte sont au paroxysme. Je décide d'écrire au médecin, ce qui me redonne un peu d'énergie et canalise une part de mon agressivité.

16 février 1987.

Docteur Y,
Je trouve tout à fait inadmissible la décision que vous avez prise concernant notre fils Guillaume, décision qui a eu comme effet de nous l'arracher pour toujours. De quel droit vous êtes-vous permis de décider pour nous sans nous mettre au courant des faits réels ?

Lorsque je vous ai posé la question en février 1986, à savoir si vous aviez déjà opéré des enfants porteurs de tronc commun, vous m'avez répondu que vous en aviez opéré sept ou huit et que les chances de succès étaient d'environ 60 %. Mais si vous nous aviez dit, comme en décembre 1986, que vous aviez opéré un ou deux enfants de 2 ans, mais sans succès, et que, d'après les écrits publiés par d'autres centres de chirurgie cardiaque, les résultats démontrent qu'il n'y a que des échecs, soit immédiatement après l'opération, soit quelques mois plus tard, Guillaume serait encore avec nous. Vous me direz que l'artérite pulmonaire le guettait. Vous avez sans doute raison, mais vous n'avez aucune possibilité de dire quand cela se serait produit. Votre responsabilité, de toute façon, s'arrêtait à nous renseigner sur les faits réels et à nous laisser prendre notre désision. Vous nous avez donné des informations incomplètes.

Nous aurions sûrement choisi de prendre le risque de l'artérite pulmonaire dans x années avec l'espoir qu'un autre type d'intervention devienne possible à ce moment plutôt que de prendre le risque d'une mort certaine et de beaucoup de souffrance. Pourquoi alliez-vous réussir cette fois alors que personne ne semble réussir nulle part ?

Guillaume était un petit garçon heureux et actif. Il ne savait pas qu'il était différent des autres et il se développait bien. Il aurait pu continuer ainsi pendant quelques années. Vous ne pouvez pas dire pendant combien d'années. Vous arrive-t-il de penser qu'un petit garçon fait partie d'une famille, qu'il est heureux de vivre et qu'il n'est pas seulement un cœur malformé ?

Il existe des comités d'avortement thérapeutique pour décider de la vie d'un fœtus qui n'a que quelques semaines. Comment osez-vous vous arroger le droit de mettre de côté des informations à donner à un couple quand la vie de leur enfant est en jeu ? Guillaume n'était pas en état de crise au moment de l'intervention. Nous n'étions pas en face d'une mort certaine dans les semaines à venir s'il n'était pas opéré. Je comprends que, dans ces cas, même la loi peut intervenir pour forcer des parents à se décider en faveur de l'opération. Mais ce n'était pas le cas de Guillaume.

Je pourrais continuer ainsi pendant des pages tellement ma peine, ma colère et ma révolte sont grandes. Je m'arrête ici cependant mais je veux que vous sachiez que je dirai par tous les moyens possibles tout ce que je ressens actuellement. Pouvoir en parler, c'est tout ce qui me reste.

Françoise Fafard Sindon
et Bernard Sindon.

20 mai 1987

Rêve : Guillaume est avec nous sur notre lit. Nous jouons avec lui et il rit beaucoup. Je l'entends. Puis je lui dis : « Pourquoi es-tu parti ? Tu étais si bien avec nous. » Je me sens bien triste. La nuit suivante, je dors très mal. Quand je suis éveillée, je pense aux médecins et à ce qu'ils ont fait subir à Guillaume, à sa souffrance. Puis je me rendors et je rêve que Guillaume est aux soins intensifs et que personne ne nous laisse le voir. On est chez nous et on ne peut pas partir car on va recevoir un appel téléphonique. Cet aller retour du rêve au réveil dure toute la nuit.

29 mai 1987

Rêve : j'essaie de mettre des bottines à Guillaume, mais il se plie les orteils parce que ses bottines sont trop petites. Je lui dis : « Mets-les pour aujourd'hui. On va en acheter d'autres demain. » Même s'il va mourir dans deux mois, on lui achètera quand même de nouvelles bottines.

30 mai 1987

Rêve : Guillaume est revenu. Je savais bien qu'il reviendrait, qu'il n'était pas mort pour de vrai. Il est fatigué. Il est temps qu'il dorme. Je le lave, puis je le change. Je cherche une couche plus épaisse pour la nuit, mais je n'en trouve pas. Je lui en mets deux, puis il se couche sur mon épaule. Il est très faible. Je le promène ainsi. Il va dormir.

12 juillet 1987

Rêve : j'arrive à l'hôpital. Je m'informe pour savoir où est le département des soins intensifs. Guillaume y est encore et ça fait très longtemps que je l'ai vu. Je ne venais plus le voir. Je ne sais pas pourquoi. Il a encore deux ans. Il a été opéré pour le cœur. Il a une cicatrice sur la poitrine. En me voyant, il me saute au cou en disant : « Maman ! » Il parle un peu. Il arrive à se faire comprendre. L'infirmière me dit qu'il se sentirait mieux s'il n'avait pas que des vêtements d'hôpital. Je lui dis : « Ce n'est pas un problème, je vais lui en apporter. Il en a beaucoup à la maison. » Il est aussi petit qu'il l'était et aussi actif et aussi heureux. Il me montre toutes sortes de choses. Je demande à l'infirmière s'il doit sortir de l'hôpital bientôt. Elle me dit : « Non, il est encore très malade, même si ça ne paraît pas. » Il est content de me parler de ce qu'il mange. Il me parle aussi d'une infirmière qui lui fait de bons repas. Je repars et je me dis que je vais revenir tous les soirs. J'étudie au collège Sacré-Cœur, mais je vais m'arranger pour faire mes études à un autre moment. Je serai là tous les soirs. Je ne pleure pas en me réveillant. Je suis seulement nostalgique.

16 juillet 1987

Rêve : Guillaume a grandi. Il a six ans. Quelqu'un doit venir à la maison pour lui faire la classe. Il a faim. Il veut manger des spaghettis. Il est 22 h. Nous sommes dehors en train de regarder un spectacle. Il est tout près de moi. Et tout à coup il s'est éloigné. Je dis : « Où es-tu, Guillaume ? » Il se montre et rit. Il a voulu me jouer un tour.

Fin août 1987

Réalité : cet été 87 est enfin terminé. J'ai eu de longues vacances, mais des vacances d'ennui et de tension. Étant beaucoup à la maison, j'ai ressenti très fortement le vide de ton absence. Lucie et Normand se sont occupés de nous le 6 juillet, date d'anniversaire de ton décès. Cette journée anniversaire que je redoutais tant s'est passée dans la tendresse et l'affection. Mais, par la suite, j'ai ressenti beaucoup d'isolement et d'incompréhension. « Nous aurions dû être différents de ce que nous étions, être plus heureux, avoir oublié. » C'est vraiment ce que j'ai perçu de la plupart de nos amis, à quelques exceptions près.

Septembre 1987

Quand diminuera ma colère ? C'est difficile de vivre ainsi. C'est une sorte de folie. Nous avons beaucoup de projets à la maison, mais ta perte continue de me faire très mal. Tu me manques, mon beau bébé, mon amour, mon trésor. Toi parti, je réalise l'éphémère de toutes choses. J'ai souvent envie de dire ces choses aux gens lorsqu'ils me parlent de l'avenir... « Quand il sera au cégep, à l'université... » Y sera-t-il ? Pourquoi vivre pour demain ?

Je voudrais pouvoir te serrer encore dans mes bras, t'aimer avec ton corps physique. Je continue de t'aimer et je t'aimerai toujours, mais pourquoi suis-je privée de ta présence ? Je préférais à l'infini mes inquiétudes au sujet de ta santé à ce vide, ce rien. Je ne t'entends plus rire et fouiller. Je ne te vois plus jouer et danser.

Pourquoi les médecins t'ont-ils joué ce mauvais tour, t'ont-ils mis dans un tel pétrin ? Ils savaient que les chances de réussite étaient inexistantes et ils ont quand même pris le risque. Quel orgueil et quelle inconscience ! Quelle incompétence aussi ! Quelle folie !

21 septembre 1987

Vivre la folie... Je me suis toujours dit que la seule chose que je ne pourrais pas supporter, c'était la mort d'un de mes enfants. J'en mourrais ou j'en deviendrais folle. C'est arrivé et je n'ai pas pu mourir avec lui. Pendant de longs mois, je suis restée « dans la vie ». J'ai supporté la vie, j'ai souhaité mourir et rejoindre Guillaume, mais ce désir ne s'est pas réalisé. Je ne suis pas devenue folle au point de ne plus être fonctionnelle. J'ai continué de travailler, de subir ma routine, mais l'intensité de certains sentiments ressemble à de la folie. Je n'évalue plus certaines réalités comme je le faisais avant. J'ai mal du bonheur des autres parents, vieux et jeunes. S'ils savaient à quel point je les déteste parfois, ils se diraient que je suis folle. J'en arrive à détester certaines amies qui ont des bébés. Les parents qui se retrouvent dans leurs enfants, je leur en veux. C'est tellement irrationnel, tout cela, que c'est un peu comme la folie.

19 octobre 1987

Ce matin, j'ai entendu à la radio qu'on venait de faire subir une transplantation cardiaque à un bébé naissant et que l'opération semblait vouloir réussir. Dans quelques années, où en serons-nous avec ce type d'intervention ?

J'ai appris une chose. Après quinze mois de perte, je ne dois plus montrer ma colère et ma peine. Cela fait peur et c'est ennuyant. Il faut parler des projets que l'on a, dire qu'on est engagé dans quelque chose. Je ne sais pas si un jour je revivrai. Pour l'instant, j'agis beaucoup et ça va. Intérieurement, je me retire souvent des conversations ou des situations. Si j'étais sûre de te rejoindre, je préférerais mourir. Mais je ne suis sûre de rien, sinon de ma souffrance. Il m'arrive d'avoir des moments de calme et de détente où je me sens bien, mais ils sont entrecoupés de ces périodes de désespoir. Quand cela finira-t-il ?

24 novembre 1987

Mes habitudes reprennent le dessus. Ma douleur et ma colère sont aussi grandes, mais elles ne prennent pas toujours le devant de la scène. Mon manque de toi est toujours aussi important. Je crie encore après ta présence physique. Je refuse encore la cruelle réalité, mais ces moments de désespoir sont moins persistants. Je sais que je n'ai pas le choix de vivre, et ce depuis le début. La vie m'est imposée et je n'y peux rien. Il m'arrive cependant depuis quelque temps, lorsque je sens que tout s'écroule, de décider de vivre, de choisir la vie, plutôt que de la subir. Je sais que j'aurai à faire ce choix souvent, car il n'est plus implicite.

16 décembre 1987

Je ne vois plus le soleil. Je ne sens plus Guillaume. Je voudrais que tu entres de nouveau en moi, je voudrais pouvoir te garder partout et toujours. Je voudrais avoir la certude que tu es bien. Fais-moi un signe. J'attends de sentir ta présence. Montre-moi le chemin pour te rejoindre. Être en contact avec toi continuellement, voilà mon plus cher désir. C'est là ma source de vie. Je pourrai ainsi moins penser à te rejoindre et me centrer davantage sur la vie si je te sens bien et en moi. Tu étais mon souffle de vie. Pourquoi ne le redeviens-tu pas ? Tu me manques tellement.

Noël 1987

Cela fait déjà près d'un an et demi que je ne te vois plus. Je m'ennuie terriblement. Le temps passe si lentement. Mon envie de te retrouver est toujours très grande. Je ne me sens pas le cœur à la fête, d'autant plus que l'atmosphère est très tendue. Beaucoup de gens proches de moi ignorent complètement ma peine et mon désespoir. Papa se fait dire qu'il n'est pas très sociable. Il est triste de constater que même la peine et le retrait ne sont pas respectés. Il faudrait être capable de faire semblant et de participer à l'hypocrisie. On revient chez nous très tristes de ce Noël. Notre séjour à la campagne à Knowlton est plus calme et détendu. Nous avions moins d'appréhension et d'attentes au départ. Ce n'est plus Noël. C'est fini et c'est bien ainsi. Le reste des vacances se déroule bien. Nous sommes ensemble, Élizabeth, papa et moi, et nous sommes détendus et presque heureux. Tu nous manques beaucoup, mais nous pouvons en parler librement. C'est moins triste ainsi. Le vide de ton absence a besoin d'être rempli de paroles, de souvenirs et de larmes aussi. C'est le contraire de tout cela qui est insupportable.

15 mars 1988

> Comprendre, pardonner, accepter...
> Comprendre, pardonner, accepter...
> Telle devrait être ma vie...
> Entendre la colère des autres
> Annihiler la mienne
> Mourir... suffoquer
> Dans un trio, coincée, étouffée
> Telle est ma vie
> Changer la situation : non...
> Je n'en ai pas l'énergie...
> Je veux partir au loin...
> Seule avec ma peine
> Avec mon deuil
> Avec mon enfant brisé
> Le rejoindre
> En finir... pour toujours.

11 avril 1988

Il me faut vouloir vivre puisque je vis. La vie est invivable sans le désir de la vivre.

Guillaume, mon petit, je ne veux pas t'oublier, je ne pourrai jamais t'oublier. Je t'aimerai toujours plus que moi-même, mais il me faut me plonger davantage dans la vie. Sois avec moi dans des projets qu'il me faut faire. Aide-moi à donner un sens à ce que je fais. Souvent, les gestes que je pose m'apparaissent superficiels. Toi, tu t'engageais à fond dans tout ce que tu touchais. Tu vivais vraiment, car tu étais heureux de le faire. Aide-moi à me donner le droit de continuer sans toi et d'essayer d'être heureuse.

J'ai dit ce que je voulais afin que le monde sache comment tu nous as quittés. Je ne peux faire plus en ce qui concerne le passé. Aide-moi à avoir encore le goût de l'avenir. Aide-moi à oser encore aimer. Je n'ai pas le choix. Je suis restée en vie. Mon cœur bat, mes poumons respirent et mon cerveau fonctionne. Aide-moi à participer davantage à cette vie qui n'a pas voulu s'en aller avec la tienne. Sois en moi vivant.

12 avril 1988

Je ne veux pas te laisser. Je suis triste à l'idée d'avancer dans la vie sans toi. Est-ce bien vrai que je ne te reverrai plus ? On me dit souvent : « Il y a la vie après la vie. » Est-ce bien vrai ? M'y attendras-tu ? C'est tellement terrible de t'avoir connu pour te perdre. Ma vie est morte avec toi. Comment être assurée de te retrouver ? Et pourtant c'est mon plus grand désir. Combien de temps devrai-je continuer sans toi ? Et si la mort vient me délivrer, sera-ce pour te retrouver ? Sinon, à quoi m'aura servi cette attente ? Je suis si lasse et si triste. Et pourtant je dois continuer, même si je n'ai plus d'âge. Le temps coule sur moi, sans que des projets me motivent et me stimulent.

15 mai 1988

Je suis seule à la maison. Papa et Élizabeth sont partis à Ottawa. J'ai un grand besoin d'être seule. Je sais que tu n'es plus là, mais je veux garder ton souvenir tout autour de moi. Je ne me sens pas capable de me séparer de ce qui t'a appartenu. Il m'arrive encore souvent de vouloir te rejoindre. À d'autres moments, j'ai le goût de faire des choses en attendant que ce moment arrive. Personne de la famille n'est allé te rejoindre depuis le 6 juillet 1986. Qui sera le premier à connaître ce bonheur ?

Lettre à Guillaume pour son anniversaire
15 mai 1988

Mon petit Amour,
Ma chair,
Tu as fait partie de mes rêves les plus anciens, de mes désirs les plus intenses. Tu as été ma joie la plus grande. Tu as fait vibrer mon être jusqu'au plus profond de moi. Tu es mon moi le plus sincère.

Maintenant, je dois vivre de tes souvenirs et personne ne me les enlèvera. Il est temps que tous s'en souviennent à chaque minute. Mon plus grand désir maintenant est de te retrouver.

Tu auras quatre ans dans cinq jours et toutes les étapes de ta vie restent gravées en moi et pour toujours. Que les souvenirs soient tristes ou gais, qu'ils soient cruels ou tendres, JE LES VEUX.

Je t'aime.
Maman.

P.-S. Sois en moi. Ne me laisse pas seule.

2 août 1988

Tu sais, j'ai voulu que cet été soit meilleur que celui de 1987 et ça marche. Je pense souvent à toi et je demande souvent ton aide. Cependant, il m'arrive plus souvent de profiter de la vie qui passe. Ce soir, je te sens près de moi et ça me fait plaisir. Je veux te laisser prendre tes distances, car il semble qu'ainsi tu pourras profiter plus entièrement de ta nouvelle vie. Comme tout le monde, je ne sais pas ce qui se passe dans cet « ailleurs » où tu es. Mais je veux que tu sois bien, et s'il me faut te laisser y aller à fond pour y vivre pleinement comme tu le faisais avec nous, je t'aime assez pour le faire. Nous serons toujours complices, je le sais. Tu ne m'abandonnes pas et je ne t'abandonne pas.

Tu sais, toutes ces pages que j'ai écrites m'ont fait du bien. J'y ai crié ma colère et ma peine et cela m'a aidée. Toi, tu sais comme moi qu'il y a eu papa et Élizabeth qui ont continué de m'entourer quand je le leur permettais. Tu connais les difficultés que nous avons eues à nous refaire une famille mais tu sais aussi que ce désir demeure prioritaire pour moi. Je voudrais qu'Élizabeth soit heureuse. Maintenant, je veux m'occuper d'elle. Tu sais aussi que beaucoup d'amis et parents n'ont pu me rejoindre dans ma peine. Ce n'était pas intéressant pour eux. Cependant, quelques personnes l'ont fait et je leur dois beaucoup. Guillaume, tu ne m'as pas laissée entièrement seule. Je suis plus en mesure de le voir maintenant. Mais tu me manques toujours beaucoup.

> « Un enfant, c'était la seule
> véritable garantie d'éternité. »
>
> Arlette Cousture,
> *Les Filles de Caleb.*

Lettre à mon frère
Automne 1987

Pour mon trésor Guillaume,

Mon petit ange gardien, toi que j'ai attendu pendant des années ! Un jour, tu es arrivé, mais tu es reparti deux ans plus tard. Il y avait si longtemps que j'attendais l'arrivée d'une petite fleur humaine, et cette petite fleur humaine, eh bien, c'était toi. Le jour où j'ai su que maman était enceinte, j'ai été un peu jalouse parce qu'il allait y avoir un autre enfant dans la maison, mais je souhaitais que ce soit un petit garçon.

Tu prenais beaucoup de place mais ça ne me faisait rien. J'avais quelqu'un à qui dire mes petits secrets. Tu aimais beaucoup jouer dans ma chambre, mais moi je te le défendais souvent. Mais quand je voyais que tu pleurais, je te laissais entrer pour jouer. Je regrette vraiment beaucoup de ne pas t'avoir laissé jouer dans ma chambre quand toi tu ne savais pas quoi faire.

Je savais que tu avais une maladie. Mais tu vivais cependant comme tous les autres petits enfants qui étaient sur la terre, malgré ta maladie. Elle ne t'empêchait pas de faire tout ce que tu voulais. Tu étais presque comme un enfant normal. La maladie que tu avais, ça ne paraissait pas. Quand tu avais un rhume, j'avais mal pour toi. Quand tu pleurais, je ne pouvais m'empêcher d'aller te prendre pour te consoler. Le soir, quand il était tard et que tu pleurais, je ne pouvais m'empêcher de pleurer avec toi parce que je savais que tu avais quelque chose et moi je le ressentais comme si j'étais toi.

Guillaume, tu étais un enfant vraiment heureux et tu avais rendu toutes les personnes qui t'entouraient aussi heureuses que toi, même plus heureuses. Avec toi dans la famille, nous étions comblés. Tu as fait plus que personne d'autre n'avait pu faire. Pendant les deux ans de ta vie, maman était sûrement la plus heureuse des mères. Tu l'as sûrement rendue aussi heureuse que lorsque je suis arrivée, même plus heureuse parce que tu venais de son propre ventre et moi je viens de son cœur. Je suis sûre que c'était pareil pour papa. Moi, j'étais vraiment fière d'avoir un petit frère. Tu as sûrement été mon premier frère dans ma vie parce que je n'en connais pas d'autres et je ne veux plus en connaître d'autres. Celui que j'avais, je l'aimais plus que personne au monde.

Quand j'ai su que tu allais être opéré, je me disais dans ma tête : il ne faut pas le faire opérer, mais, par contre, peut-être pourra-t-il vivre plus longtemps après son opération. C'est une question que je me pose encore aujourd'hui, même si tu n'es plus là. Je me souviens d'avoir dit à maman de ne pas te faire opérer tout de suite et d'attendre encore un peu pour voir ce qui allait se passer. Mais le médecin disait que c'était mieux pour toi, mais moi je savais qu'on pouvait attendre encore un peu. Je suis très, très fâchée contre le médecin qui t'a opéré. Je voudrais lui dire ce que je pense de lui. Mais je le lui dirai un jour et je lui expliquerai ce qu'est un être vivant, même petit comme toi.

Tu as été un frère magnifique pour moi et je ne t'oublierai jamais. Tu étais un enfant toujours souriant et surtout heureux. Tu vivais comme tu le pouvais et comme tu le voulais. Je ne pourrai oublier les moments de ta vie que tu as passés avec moi. Deux ans pour moi, ce n'est pas assez. J'ai beaucoup de photos de toi dans ma chambre et ça me fait beaucoup de bien de t'avoir auprès de moi quand j'étudie dans ma chambre ou que je fais le ménage. Bien souvent, je veux pleurer, mais je me retiens pour ne pas pleurer. Je n'ai pas du tout la même vie que quand tu étais là.

Tu me manques vraiment beaucoup, beaucoup, même énormément, mon frérot d'amour. Adieu pour toujours puisque je ne te reverrai plus jamais. Je ne t'oublierai jamais, jamais, tu entends, Guillaume ? Je suis sûre que oui tu m'entends puisque tu es toujours auprès de moi.

De ta sœur, amicalement et tendrement avec tout son cœur et son amour.

Élizabeth,
14 ans.

Lettres à mon fils

Rosemère, le 12 juin 1987.

Bonjour, mon petit,
C'est aujourd'hui une journée bien triste. La température est maussade, maman a une forte migraine et Élizabeth subit un difficile examen au collège au moment où je t'écris. Pourrais-tu changer quelque chose à tout cela ? Je crois que oui, mais ce oui me cause bien des problèmes.

Je ne sais plus si, dans mes demandes, je dois m'adresser à toi comme à mon petit enfant ou si je dois faire appel à toi comme à un élu qui m'est supérieur. C'est bien embêtant, tout cela, et parfois c'est trop compliqué pour ma petite tête.

Chose certaine, même si tu n'es plus sur terre, je sais que l'endroit où tu es est de beaucoup plus intéressant pour toi *que ce que tu as connu avec nous. Même si tu jouais beaucoup dans la maison, même si tu étais constamment actif, enjoué et vivant dans tes jeux, je crois qu'au ciel tu as encore plus que tout cela. Je crois que tu es pleinement heureux et content d'avoir fait un séjour sur terre avec nous trois.*

Comme je te le disais, il m'est parfois difficile de te parler : lorsque je me couche, je te revois encore petit et j'éprouve le besoin de te dire d'aller te coucher car il est vraiment trop tard pour toi. Mais est-ce qu'on dort, au ciel ? Parfois, lorsque la journée a été difficile, la seule chose à laquelle je pense est de te demander de l'aide pour le lendemain. Mais es-tu assez fort, toi qui es encore petit ? Enfin, si je veux te dire mon état d'âme et le partager avec toi, l'ennui me prend car je trouve que tu es très loin de moi. Comment être assuré que tu m'entendes ?

Malgré tous ces points d'interrogation, je sais qu'il y a un contact entre toi et nous et que ta présence spirituelle est constante.

Tu reviens toujours dans mon cœur. Ça fait du bien... beaucoup de bien. C'est ce qui me reste de toi. Ce dialogue intérieur est si intime que la consolation qu'il apporte donne des forces à ma vie.

Le seul vrai problème (et c'est la première fois que je le rencontre) est que je sens sans voir ni entendre ou toucher.

Je t'embrasse de toutes mes forces, mon petit.

Papa.

Rosemère, le 24 juillet 1987.

Bonjour, Guillaume,
Il y a bien longtemps que je t'ai écrit, mais cela ne veut pas dire que je ne pensais pas à toi. Au contraire, j'y ai pensé très souvent.

C'est difficile pour nous d'accepter que tu ne sois plus là. C'est difficile aussi d'accepter que tu aies souffert au moment de ta mort. C'est difficile enfin de ne plus avoir d'espoir de te revoir sur terre de notre vivant.

Tu es parti, parti pour bien longtemps, parti en fait... pour toujours.

Nous avons bien de la difficulté à vivre sans toi. Depuis quelque temps, ça va un peu mieux pour nous trois.

L'année qui vient de s'écouler depuis ton décès a été longue et pénible ; mais, à travers ce temps de lourdeur, nous avons réussi à te garder près de nous. Nous avons réussi à remplir le vide de ton absence par l'amour que nous avions pour toi, par l'amour que nous avons toujours.

L'année qui vient de se terminer apparaît aussi comme une fraction de seconde : c'est hier, nous semble-t-il, que tu courais dans la maison. C'est aussi hier que tu nous donnais ton dernier baiser.

Ton départ fut bien brusque. Bien sûr, nous aurions pu l'anticiper, mais il ne nous a été possible de le réaliser que devant le fait accompli.

Je te dirai franchement que lorsque je te donnais seul *ton biberon, le soir, dans ta chambre, je pensais souvent à l'éventualité de ton décès ; mais il y a un énorme fossé entre la pensée d'une chose et sa réalisation.*

Je te dirai franchement aussi que maman te voyait tellement en vie que ce n'est que le jour de ta chirurgie cardiaque que la panique l'a prise. Après, ce fut le désarroi...

Guillaume, où es-tu ?

Avec affection.
Papa.

Rosemère, le 7 septembre 1987.

Mon cher Guillaume,
Je m'ennuie énormément de toi depuis deux semaines. Il me semble que ce n'est pas vrai, que tu n'es pas vraiment parti. Et pourtant je dois me rendre à l'évidence que tu n'es plus là.

Nous avons fêté maman en fin de semaine sans que tu sois là. Je n'accepte pas que tes oncles et tes tantes aient leurs enfants bien vivants. Je n'accepte pas que d'autres enfants aient le droit de vivre alors que toi, ce droit t'a été retiré. Cela m'apparaît d'une injustice flagrante. J'essaie malgré tout de surmonter ma peine en oubliant le plus possible ton corps physique et ma jalousie. Il y a des jours où ça réussit, mais il y en a d'autres aussi où j'échoue.

Depuis quinze jours, tu as dû observer toi-même comment je suis désemparé. Je ne te parle plus comme je le faisais dans mon cœur. Je n'ai plus cette relation d'intimité avec toi qui me permettait de passer à travers les autres difficultés de la vie. Alors que tu étais mon petit compagnon de vie préféré, maintenant je ne t'utilise que comme bouée de sauvetage. Mes prières ne sont plus un échange mais supplications constantes. Mes peines ne nous appartiennent plus, elles sont le fruit de mon malheur de vivre sans toi.

Bien sûr, tu me diras que je m'apitoie sur mon malheur ; que je devrais dès maintenant faire une grande volte-face ; que tu m'autorises même à tourner la page en ce qui te concerne. Bien sûr, tu peux me dire toutes ces choses : toi, tu es dans la lumière et dans la vie pour l'éternité.

Moi, je pioche quotidiennement pour gagner mon ciel et mon seul espoir est de te retrouver un jour... pour toujours.

Ne te gêne pas pour m'indiquer le chemin du ciel. Si je dois souffrir, je le ferai ; si je dois être courageux, j'agirai en conséquence pour répondre aux exigences de Dieu.

Car, tu sais mon petit, il n'y a que des années limitées qui nous séparent d'une éternité ensemble.

Crie bien fort de ta cachette céleste, Guillaume, pour que je garde la force et le courage de poursuivre ma vie et d'en arriver à te trouver bien vivant.

Je t'aime.
Papa.

Rosemère, le 8 septembre 1987.

Bonjour, Guillaume,

Une autre journée de plus vient de s'écouler depuis ma dernière lettre.

Comme tu étais beau dans ce corps physique que nous t'avons donné ! Comme tu étais avide de vivre dans notre petite famille ! Comme ton intelligence dépassait toutes nos attentes !

Mais, de plus, tu aimais. Tu aimais maman pour tous les égards qu'elle avait pour toi. Tu aimais Élizabeth, ta sœur aînée qui était tout pour toi et faisait tout avec toi. Enfin, tu m'aimais aussi surtout à cause de cette bedaine contre laquelle tu venais t'endormir, serré dans mes gros bras.

Tu t'émerveillais de tout : oiseaux, feuilles, sable, commutateur, porte, etc. Tu nous émerveillais par ta vitalité, ta force et ta bravoure. Tu nous émerveillais aussi par ton sourire qui savait prendre mille gratifications. Guillaume, tu étais notre bébé, tu étais notre enfant chéri.

Guillaume, tu étais partout : à la télé, dans les armoires, derrière les fauteuils, au piano, en pleine course dans le corridor. Guillaume, tu ne cessais d'apporter la vie dans notre demeure, la joie dans nos cœurs et l'harmonie dans notre famille. Guillaume, même avant de naître, tu étais là, et ta naissance elle-même injecta à nos vies l'intensité de ta jeunesse. Guillaume, pendant les deux ans que tu as vécus sur cette terre, tu n'as cessé de donner, donner et donner... Quoi au juste ?... Ce dont nous manquons le plus maintenant, la joie, ta joie.

À bientôt.
Papa.

Rosemère, le 9 septembre 1987.

Guillaume,

Es-tu venu faire un tour dans la cave cet après-midi ? J'étais tellement occupé à démolir les cloisons que je t'ai oublié un instant, mais, à vrai dire, quelques instants.

Dans cette cave, il y avait des poutres, des piliers, des clous. Je te la décris, car tu n'es jamais descendu dans cette cave. Nous avions trop peur que l'humidité affecte tes fragiles poumons.

Mais aujourd'hui, tu as dû venir même si je ne m'en suis pas rendu compte. Tu as dû fouiller partout, à mon insu, te satisfaire enfin de cette interdiction que nous avions mise lorsque tu étais toi aussi un petit Terrien.

Demain, je dois aller acheter des matériaux pour construire une salle familiale dans le sous-sol. Je t'emmènerai et tu continueras de t'amuser beaucoup, de satisfaire ta curiosité et d'apprendre à construire... Toujours construire.

Il est important que tu réalises que, même dans la béatitude, il y a beaucoup de travail à faire. Tu es encore mon petit Guillaume et j'ai encore la responsabilité de t'éduquer, de continuer à te faire voir toutes les facettes de la vie.

J'espère qu'en bon ange gardien tu viendras me réveiller très tôt.

À demain.
Papa.

Rosemère, le 12 octobre 1987.

Mon cher Guillaume,

Il est minuit moins vingt. Il y a une demi-heure, c'était l'heure de ton décès : onze heures dix par un dimanche soir de l'été 1986. Depuis ce jour, je n'ai cessé de penser à toi à cette heure. C'était un dimanche en 1986 et c'est maintenant un lundi en 87.

On dirait que je suis chronométré. Même si je suis endormi, je me réveille précisément à cette heure, onze heures dix p.m. C'est alors que tu es passé de mes bras à ceux d'un autre ! D'une autre ? De qui...? Du mieux, en tout cas, je l'espère, je te le souhaite et je le crois.

Est-ce qu'il y aura encore pendant bien des années des onze heures dix de ton souvenir ? Dans un sens, je le souhaite et tu comprendras que dans un autre j'espère que cette heure dis-paraîtra tranquillement, s'effacera imperceptiblement. J'en ai encore besoin car elle me rappelle aussi ta vie, cette vie qui nous a rendus si heureux.

Onze heures dix, je dois dormir car il y a demain. Onze heures dix, je dois rester auprès de toi car tu as encore besoin de moi. Tu es si petit.

J'espère au moins que tu dors et que c'est dans tes rêves que tu m'entends, que tu me vois, que tu te reposes, toi qui as vécu si intensément.

Je t'aime et je t'adore encore. Je t'aime de l'amour de ceux qui sont prêts à tout donner pour le bonheur de l'autre.

Je t'aime de l'amour des riches qui peuvent pourvoir de tout et de l'amour des pauvres qui se voit et se sent toujours. **Je t'aime**.

Je t'adore comme un être précieux, oui, précieux. Tu es ma planche de salut. Garder le contact avec toi, c'est m'assurer la vie, celle d'ici-bas et celle de l'au-delà. Je t'adore comme un trésor que l'on ne veut pas perdre. Je t'adore comme tu étais et comme tu es maintenant.

Je sais qu'il n'y aura plus de lendemain à ta vie terrestre. Je sais que mon lendemain le plus heureux arrivera lorsque je te retrouverai dans l'éternité.

Guillaume, ne te réveille pas de ta nuit heureuse pour moi. Ne sors pas de ta béatitude pour nous. Continue ton sommeil dans la nuit, cette nuit qui est aussi remplie de lumière et qui saura tous nous attirer par la force de ton être.

Guillaume, c'est ma dernière phrase que je formule, mon dernier mot que je t'écris, mais garde-le pour toujours.

Guillaume, ton nom est encore beau, ton corps était magni-fique et ta vie est éternelle.

Amours et baisers.
Papa.

Rosemère, le 8 novembre 1987.

Guillaume,

Il faut absolument que interviennes. Il faut absolument que tu te manifestes.

Il est encore onze heures dix de ce dimanche soir de ta mort et tous les souvenirs de ce jour reviennent. Le drame se revit en moi de nouveau, mais, cette fois, il est plus dérangeant, plus difficile.

Je ne veux pas que tu partes, je ne veux pas que tu sois dans l'au-delà. Ton corps me manque, tes sourires sont absents et l'éclat de tes yeux ne me rejoint plus. Je suis seul sans toi.

Et plus le temps passe, plus je m'accroche à toi vivant.

La spiritualité que j'ai développée avec toi dès ton décès... n'est plus suffisante pour combler le besoin de ta présence physique. Que j'aimerais te prendre, te caresser, t'embrasser ! Où es-tu ? Viens vite, le cafard m'emporte.

Guillaume, je m'excuse de te déranger dans la quiétude de ton ciel, mais c'est de toi que j'ai besoin, d'une manifestation tangible. Je sais aussi que mon désir ne peut avoir de réponse, surtout pas ce soir. Je sais, après ces seize mois de deuil, que tu viens toujours à l'improviste et que ton temps n'est pas nécessairement le mien. Je sais aussi que mes demandes doivent être d'ordre général pour que tu puisses intervenir. C'est inutile de te demander de l'aide pour des réalisations concrètes. Tu excelles à me conseiller et à m'aider dans mes problèmes d'homme, de travailleur, de mari et de père. Ton ascendant sur moi est encore plus fort lorsque je te demande de m'éclairer dans mes difficultés et de m'aider à prendre des décisions. Je sais maintenant, après ce deuil de seize mois, qu'il y a malgré tout un contact à des moments précis, mais je n'ai pas le choix de ces moments. C'est toi, semble-t-il, qui prend l'initiative de la rencontre.

Je sais aussi, après seize mois de ton absence physique, que je devrais devenir de plus en plus raisonnable : accepter ta mort, accepter ton absence terrestre et accepter... et accepter. Mais, que veux-tu, je trouve cela encore inacceptable.

Ton départ a brisé ma vie, a complètement bouleversé mon plan de vie. J'étais un homme rempli d'espoir, lutteur et courageux. Il me reste encore de l'espoir, de la vigueur et beaucoup de persévérance, mais j'ai perdu le fil conducteur. La constellation céleste de ma vie était complète avec ta présence. Cette même constellation est tout à remanier, à réorganiser, à reconstruire.

Dans ce travail de reconstruction de mon monde personnel et de mon monde familial, tu peux m'aider par ton éclairage du haut de ton ciel. Tu peux me servir de guide, de conseiller.

Mais, ce soir, tes conseils seraient vains. Ce que je veux, ce que je cherche, c'est ta présence physique, tes courses dans toute la maison, tes baisers savoureux et ton sourire si beau. J'ai une crise aiguë de te prendre, de te serrer, de te faire faire la culbute et de t'endormir dans mes bras. Mon désir est irréel, mais mon besoin, lui, est réel. Je m'ennuie de toi, je m'ennuie de ta vie dans notre maison.

Guillaume, ton départ est une très grande souffrance dans le monde de maman, d'Élizabeth et de moi-même. Nous avons, tous les trois, fait d'énormes progrès comparativement à l'année passée, mais, malgré cela, il y a des jours où nous reculons dans notre évolution relativement à ton décès.

Guillaume, ce n'est pas facile ce soir d'accepter ta mort, mais il le faudra bien un jour car ton retour ici-bas est impossible.

Guillaume, tu demeures malgré tout ma force de vie, ma motivation à agir.

Affectueusement.
Papa.

Rosemère, le 23 novembre 1987.

Bonjour, Guillaume,
Me revoici encore et peut-être pour la dernière fois. J'ai décidé qu'il me fallait mettre un terme à ma correspondance

avec toi. Je veux dire par là que je n'écrirai plus dans un livre, dans ton livre. J'aurai dorénavant un journal de nous deux, un journal de notre vie, de l'intimité de notre bonheur.

Il est très important que tu réussisses à comprendre que la perte que j'ai subie par ton décès est énorme au moins à deux points de vue : j'ai perdu un enfant ; j'ai perdu mon garçon, celui qui aurait pu me perpétuer comme homme. Je ne doute pas que tu puisses comprendre car toi aussi ta perte est énorme : un père, une mère et une sœur, d'un seul coup. Peut-être que tu te consoles plus facilement auprès de tes grands-parents que nous auprès des autres enfants. Tu étais unique et unique tu resteras pour nous.

Avec le temps qui passe, la peine s'estompe ; elle demeure sourde, mais les souvenirs heureux reviennent. Tout ce temps que tu as passé avec nous s'allonge, de sorte que la perte est moins grande. Je te revois toujours aussi beau, intelligent, actif, heureux et espiègle. Je suis chanceux de conserver ces souvenirs de toi et tu dois être sûrement très content de revivre tous les jours dans mon cœur.

Tu m'as fait faire beaucoup de chemin pendant ta vie et aussi après ta mort. Il me semble que ça va continuer comme cela indéfiniment. C'est étonnant de constater que tu es encore là, aujourd'hui même.

J'avais deux raisons de commencer mes lettres. D'une part, dire et te dire. D'autre part, aider d'autres parents à passer à travers cette pénible expérience de la perte d'un enfant. Tu en sais quelque chose. Tu nous as vus lutter, souffrir et peiner à cause de ta mort.

Je peux t'affirmer que cette planche de salut que j'offrais aux autres m'a sauvé moi-même. Elle a aussi sauvé ta mère et ta sœur.

Il y avait enfin une troisième motivation, celle de dénoncer. Ta mort était attribuable à une erreur de jugement de tes médecins. Ta mort avait été causée par l'inopportunité de leur intervention. Nous avions signé ton arrêt de mort sur la base d'informations tronquées et enrubannées de l'espoir du miracle.

Le miracle, Guillaume, aurait plutôt été que nous comprenions ta vie, ta force et aussi tes limites. Le miracle, Guillaume, aurait été que nous nous rendions compte que ta vie pouvait être plus courte que celle des enfants sans maladie de cœur. Le miracle, Guillaume, aurait été que nous acceptions aussi que tu puisses mourir de ta propre mort, de ta mort naturelle.

Ce miracle nous a été enlevé par la science des temps modernes. Mais j'espère que, grâce à notre témoignage, d'autres parents auront plus que nous la force et le courage de faire confiance à la vie et d'accepter les limites et la fin de TOUTE VIE.

Guillaume, à demain, entre nous deux.

Je t'aime.
Papa.

La vie... Un don...
Une vie

par
Manon Rodier

> *Le chagrin est pareil à un fruit.*
> *Il lui est donné de ne pousser que sur*
> *des branches assez fortes pour le por-*
> *ter...*
>
> Victor Hugo.

JOSIANNE

JOSIANNE RODIER
30 novembre 1983 — 9 avril 1986
S'est étouffée en mangeant
à l'âge de 2 ans et 4 mois.
« Aujourd'hui, trois ans après. »

Depuis quelques années, on tente de sensibiliser les gens au don d'organes par des campagnes, des téléthons ou la publication de livres. J'admire toutes ces personnes qui travaillent pour cette cause et les en félicite.

Toutefois, on oublie trop souvent de parler de ce à quoi les parents du donneur ont dû faire face, ne mentionnant que le courage, la détermination et la victoire du receveur et de ses parents dans leur bataille.

Nous n'avons aucun regret et, si c'était à recommencer, nous agirions sûrement de la même façon ; nous n'avons pas de mérite, car **c'est une voix intérieure** qui faisait appel à la vie...

Une voix intérieure faisait appel à la vie

C'était le 8 avril 1986, une journée qui s'annonçait comme toutes les autres, routinière mais fleurie de petits bonheurs... Qui aurait pu soupçonner un seul instant que c'est notre petite Josianne que nous « fleririons » trois jours plus tard ?

Nous nous embrassons tous à la sauvette ; Yann, mon garçon de 8 ans à l'époque, part pour l'école ; moi, je me rends à mon travail ; mon mari reconduit notre petite de 2 ans chez la gardienne, pour ensuite se rendre lui aussi à son travail. Ce sont des « bye bye », des « becs volants », des « Bonjour ! ma petite girafe, ma petite biche, mon petit lapin, mon petit minou », etc. (car c'est le jardin zoologique qui y passait à chaque matin) qui furent nos derniers plus beaux moments partagés avec elle.

Il est 11 h 20, un appel d'urgence à mon travail me demande de me rendre immédiatement à l'hôpital, et voilà que le temps s'arrête à nos montres ; depuis ce jour-là, cette heure est à jamais gravée dans nos cœurs et carillonne à chaque année, à cette date immortelle.

Je me rends à l'hôpital, qui est tout de même assez près de mon travail, à une telle vitesse que je suis arrivée avant l'ambulance qui amenait un de mes enfants, ma petite Josianne.

N'étant même pas au courant de ce qui s'est passé, je vois les ambulanciers autour d'elle tentant de la ranimer, et aussitôt toute une équipe de médecins et d'infirmières qui accourent, à la suite d'un appel d'urgence « Code 400 » ; je la pense alors noyée, m'apercevant qu'elle a les cheveux mouillés. Je m'approche d'elle en criant et en demandant ce qu'elle a, si elle est morte, si elle va mourir. « S'est-elle noyée ? » On me repousse, on ne veut pas que j'avance plus près, me disant qu'il faut la stabiliser. J'ai pu remarquer qu'elle a les yeux grand ouverts et qu'elle ne bouge plus. Une infirmière me prend par le bras et me conduit dans une petite pièce, me disant qu'il vaudrait mieux que je reste là et que je tente de contacter mon mari en attendant.

C'est ce que je fis immédiatement, ne sachant même pas quoi lui dire, sauf que cela semblait préférable qu'il vienne me retrouver à l'hôpital. Un médecin vient me rejoindre entre-temps pour me poser diverses questions à son sujet, pour savoir ce qui s'était passé. Je lui explique que je ne le sais pas, que j'étais au travail quand j'ai reçu un appel de la gardienne. Presque au même moment, mon mari vient me rejoindre, suivi de la gardienne, et c'est à ce moment que nous apprenons ce qui est survenu. Josianne se serait « étouffée » en mangeant, et, même après qu'on eût tenté de lui donner la respiration artificielle, elle aurait manqué d'oxygène et aurait fait une hémorragie cérébrale. Le médecin nous dit alors qu'on avait tenté de la ranimer à l'aide d'un appareil à oxygène, mais en vain, car son cerveau était grandement atteint ; c'était probablement une mort cérébrale.

La préposée à la réception de l'unité des soins d'urgence nous demande la carte de l'hôpital, s'il y a lieu, ainsi que la carte d'assurance-maladie. Mon mari a dû retourner à la maison, car nous n'avions pas son carnet de santé ni ses cartes avec nous. Le médecin nous annonce finalement que, vu son état, il préfère la transférer à Montréal, dans un hôpital plus adéquat pour recevoir des cas comme celui-ci.

On nous écrit l'adresse et on nous trace le trajet sur un bout de papier, afin que nous puissions nous rendre plus rapidement par ce chemin en évitant les feux de circulation ; il nous est refusé de prendre place près de notre petite dans l'ambulance, car une escorte médicale accompagne les ambulanciers. On nous permet de l'embrasser avant de la quitter ; une infirmière me remet ses petites bottines et ses bijoux et me dit qu'elle ne me remettait pas ses vêtements parce qu'ils avaient dû être découpés en pièces pour accélérer les premiers soins.

Nous nous retrouvons, mon mari et moi, dans l'auto, croyant que tout cela était un mauvais rêve, et tentant de nous rendre à cet hôpital sans anicroche. Pendant un certain temps, nous suivons l'ambulance qui file à toute allure, sirène et gyrophare en marche. Afin d'éviter que nous aussi nous soyons obligés de faire notre entrée en ambulance, mon mari décide de ralentir ; il s'aperçoit qu'il n'a plus de réflexes. Nous devenons les aventuriers d'un périple dont nous ne savons pas à quel port il nous mènera. La distance du parcours est d'environ 75 kilomètres, mais le trajet nous a semblé ne jamais se terminer, sans parler de tout ce qui nous passait par la tête ainsi que de toutes nos questions qui demeuraient sans réponses.

Nous arrivons à l'hôpital à 14 h. Notre petite nous a précédés d'une demi-heure et un médecin nous reçoit à la salle d'urgence avec en sa possession le dossier et une lettre de l'hôpital qui avaient accompagné Josianne. Cette lettre fait état d'une crise tonique et d'un arrêt respiratoire causés par une obstruction des voies aériennes, notre fillette s'étant étouffée avec des aliments.

Malgré notre requête pour voir notre enfant, le médecin nous dit que présentement le neurologue est à faire un examen physique et a demandé une tomographie axiale du crâne ainsi qu'un électro-encéphalogramme. Tout ce que nous voulons connaître, c'est finalement leur verdict, car les termes médicaux employés n'entrent pas dans notre bagage culturel. Après une heure d'attente interminable, un autre médecin nous explique que notre enfant, malgré toutes les tentatives faites pour la ranimer, soit par ventilation bouche à bouche ou par intubation, présente une bonne entrée d'air, mais que l'électro-encéphalogramme démontre définitivement un silence électrique complet et que la tomodensitométrie montre des manifestations d'œdème cérébral, donc une mort cérébrale. Cela voulait dire qu'elle respirait à l'aide d'un appareil mais qu'elle resterait inconsciente et sans aucun réflexe. Il semblerait qu'elle ait fait une hémorragie cérébrale par asphyxie et anoxie.

Nous sommes atterrés, bouleversés et sous l'effet du choc. On achemine Josianne à l'unité des soins intensifs et on nous emmène, mon mari et moi, dans un « petit salon » qui sera notre refuge pendant presque deux jours.

Au départ, je dois dire que nous avons tout de même été soutenus par plusieurs personnes consciencieuses qui compatissaient avec nous d'une façon touchante et remarquable, venant à tour de rôle nous assister dans le processus du deuil : une travailleuse sociale nous apportant de la documentation sur la mort d'un enfant ; plusieurs médecins de l'unité des soins intensifs nous expliquant en des termes plus familiers ce qui avait causé le décès de Josianne ; des infirmières nous réconfortant et nous offrant le café. Je n'expliquerai pas en détail les sentiments qui nous habitaient : la colère, la révolte, le déchirement, la rancœur, qui nous assaillaient à tour de rôle et enfin la négation. Ce sont des moments trop intimes pour les mettre à nu et je tiens à les garder secrètement comme faisant partie intégrante de la vie de ma petite, car nous l'avons considérée vivante jusqu'à ce qu'elle soit débranchée de tout cet attirail médical. Cette époque est remplie de souvenirs que je ne peux espérer oublier, et, par contre, il y en a d'autres que je ne veux pas effacer de ma mémoire.

Nous avons vite compris pourquoi cette pièce n'était pas comme toutes les autres, qui avaient une enchâssure vitrée aux deux portes. Il y en avait bien une, mais elle était recouverte d'un panneau de bois. De plus, seul le personnel hospitalier y avait accès avec une clé, car les portes, se refermant derrière eux, se barraient automatiquement. Après que le médecin en chef de l'unité des soins intensifs nous eut certifié qu'il n'y avait plus rien à espérer pour Josianne, qui était cliniquement morte, il fallut prendre la décision de signer l'autorisation permettant de « débrancher » ou non notre petite. Sans même nous regarder, mon mari et moi, nous avons formulé en même temps le désir de faire don de ses organes pour des greffes ; nous n'avions jamais abordé un tel sujet concernant la mort éventuelle de l'un ou l'autre de nos enfants et, pourtant, pour une raison inexplicable, nous avons été poussés intérieurement à le faire.

Une fois signé le document autorisant les prélèvements, toute une équipe met en marche le processus de recherche d'un receveur en attente. On nous a expliqué que cela se faisait par ordinateur, que chaque enfant en attente de transplantation y était enregistré et qu'il fallait vérifier la compatibilité, le groupe sanguin, l'âge et le poids de l'enfant.

Il est 18 h, il faut appeler nos proches pour leur annoncer cette atroce nouvelle. C'est à mon petit Yann que je pense ; comment vais-je faire pour expliquer à un enfant de 8 ans ce qui vient de bouleverser toute notre vie ? Chaque appel nous transperce le cœur. Je commence par dire à mon garçon, qui se trouve chez un parent, que Josianne ne va pas très bien, que l'on doit la garder encore à l'hôpital et que nous devons être à ses côtés toute la nuit. Vu qu'à la fin de l'avant-midi, il l'avait vue partir en ambulance en arrivant de l'école, il savait que c'était assez grave. Je lui demande donc de faire une prière pour que les petits anges viennent à sa rencontre pour l'emmener avec eux, parce qu'elle restera toute sa vie sans jamais parler, rire, bouger ni marcher. Il me répond qu'il aime quand même mieux qu'elle revienne à la maison et qu'il va s'en occuper. Je ne sais plus quoi lui dire, je suis moi-même désemparée ; mon mari prend l'appareil, lui dit que dès demain nous serons avec lui et pourrons lui donner des nouvelles ; nous lui souhaitons une bonne nuit et l'embrassons.

À partir de ce moment, une force m'envahit. Nous pouvons voir Josianne tant que nous voulons, dans la salle des soins intensifs. J'appréhende ce moment, mais je ressens le besoin d'être auprès d'elle. En arrivant dans la salle, je la vois au bout de la pièce. Elle est toute petite dans ce lit d'hôpital, entourée de tubes et de moniteurs. Je m'approche d'elle, lui prends la main, elle est pourtant toute chaude. Je mets ma main sur sa poitrine et je sens battre son cœur. Ses yeux sont entrouverts mais n'ont cependant plus aucune expression et on peut apercevoir du sang dans le blanc de ses yeux. Je n'ai même pas remarqué la présence d'un infirmier et d'une infirmière de l'autre côté de son lit, qui me regardent et m'écoutent parler doucement à ma petite comme si cette dernière m'entendait. En voyant que je viens de les apercevoir, l'infirmière me dit qu'ils lui donnent du jus à l'aide d'un tube pour que ses petits reins continuent de bien fonctionner. Je me demande sur le moment si elle ne se moque pas de moi ; elle pense sans doute que je ne suis pas au courant qu'elle est morte. Mais je me dis aussitôt que c'est sûrement pour conserver intacts ses organes vitaux, vu les éventuels prélèvements.

Derrière moi, mon mari s'avance mais très difficilement. Il lui est impossible de voir cette scène. Je me rends compte qu'il veut bien être près de moi mais qu'il n'en peut plus, et nous retournons dans notre « petit salon » qui se trouve à proximité de la salle des soins intensifs. Il est douloureux, même encore maintenant, le souvenir de notre petite reliée par ces fils et ces tubes à des appareils électroniques la maintenant en vie. J'aurais voulu lui donner ma vie pour lui permettre de profiter de tous ces beaux rêves que nous caressions pour elle. Ce n'est tellement pas concevable que son enfant meure avant soi.

Une infirmière vient interrompre nos sanglots en ouvrant la porte doucement. Elle a soudain les yeux noyés de larmes et tente de nous consoler ; elle nous offre des calmants et je me dis intérieurement : « Comme c'est absurde ! Josianne est morte et on veut nous donner des calmants pour enlever notre douleur. » Nous n'en voulons pas, tout ce que je demande c'est de l'aspirine ; n'ayant pas pris de repas depuis le matin et avec toutes ces émotions, un mal de tête s'est installé. On nous suggère d'aller prendre un léger goûter à la cafétéria ; dès qu'on aura des nouvelles concernant d'éventuels receveurs, on viendra nous en faire part.

Inutile de mentionner que nous ne sommes pas allés prendre de petit goûter. Nous voulions tenter de faire le point, d'analyser ce qui venait de se produire, le plus lucidement possible, et de retrouver nos moyens pour voir à ce que tout soit fait pour les jours à venir. Il faut décider si nous faisons exposer notre petite au salon funéraire ; alors, il faudra choisir un petit cercueil. Juste à prononcer ce mot, déjà nous devons affronter la réalité la plus insupportable qui soit pour un parent, sans oublier les funérailles qui suivront.

Nos visites auprès de Josianne sont une étape déchirante, mais ce sont nos premiers pas à faire pour nous diriger vers ce sentier inconnu. Mon mari se tient toujours un peu plus loin derrière moi ; je sens qu'il va défaillir mais je lui demande de s'approcher. J'ai comme la nette impression que Josianne ne doit pas se sentir seule et nous savoir démunis devant cette situation. Il lui prend la main et, tout comme moi, il a l'impression qu'elle est bien vivante et il s'entête à dire qu'elle ne peut pas être morte, que son cœur bat comme avant. Je me rends compte que sa figure n'est plus la même ; elle est bouffie et ses yeux sont à demi ouverts, toujours fixes ; ses jambes et ses pieds aussi sont plus enflés. L'infirmière me dit que ses petits reins ne fonctionnent pas aussi bien qu'il y a quelques heures.

Vers 21 h, un médecin vient nous rencontrer dans notre pièce pour nous dire qu'ils sont toujours à la recherche de receveurs. Il nous explique lui aussi que c'est important que l'enfant soit à peu près du même âge ou du même poids pour ce qui est du foie ; et pour les autres organes vitaux également, il faut que le receveur soit compatible avec le donneur. C'est une opération longue et délicate qui dure entre 12 et 14 heures pour le receveur, vu qu'il doit demeurer sous observation, mais pour le donneur, c'est un peu moins long. Il nous dit qu'il vaudrait peut-être mieux que nous rentrions tout de même à la maison pour nous reposer, car cela pourrait prendre encore quelques heures.

Nous refusons de quitter l'hôpital tant et aussi longtemps que notre petite sera intubée et branchée aux appareils. Mon mari demande au médecin si c'est possible que notre fille puisse être encore vivante. Ce dernier lui explique qu'il n'y a aucun espoir et qu'il faut se résigner déjà à accepter sa mort. Arrive par la suite le psychiatre de l'hôpital, qui s'installe en face de nous et nous regarde sans rien dire. Il se présente et nous demande comment nous vivons ces moments très douloureux. Moi, je parle beaucoup de mes sentiments, de ce qui est survenu, de ce qui va se passer. Il regarde mon mari et lui dit : « Vous, vous ne parlez pas beaucoup ! C'est surtout Madame qui s'exprime ! » Il voulait ainsi, de cette façon, que mon mari extériorise ses émotions. Il n'a pas été capable de lui faire sortir un seul mot.

Nous passons la nuit la plus longue que j'aie connue, tantôt en hurlant face à notre impuissance, tantôt en nous remémorant de bons souvenirs, tantôt en essayant de trouver instinctivement une solution pour la secourir, la défendre et la protéger de toute souffrance. Mon cœur cognait dans ma poitrine et j'avais comme l'impression qu'il exploserait, pendant que je restais agrippée à la main de mon mari en cherchant une réponse qui dirait que tout allait bien se passer.

Nous sommes maintenant le lendemain matin. Vers 5 h, un autre médecin (parce que nous avons eu le temps de connaître tout le personnel en deux jours) nous rend visite et nous annonce qu'ils ont trouvé un receveur compatible pour une transplantation du foie. Les parents et l'enfant sont censés arriver vers 7 h. Il nous dit que ce sera la deuxième transplantation hépatique à être réalisée à cette institution, mais la première à être pratiquée et dirigée totalement par une équipe de chirurgiens de Montréal, autant pour le receveur que pour le donneur, le receveur étant aussi du Québec. Il nous avoue qu'il admire notre générosité et notre courage, avec une voix remplie d'émotion ; il doit nous quitter.

On sent que l'excitation générale envahit tout l'étage des soins intensifs. C'est difficile d'exprimer ici ce que nous avons alors ressenti ; en même temps que nous étions émus et fiers à l'idée qu'un enfant pourrait vivre grâce à Josianne, nous savions que pour nous cela représentait la fin pour elle, soit la mort, que nous n'avions jamais apprivoisée. Un besoin de la prendre et de la serrer contre moi me fit soudain vibrer de tout mon être. Enfin, je pourrai la bercer tendrement. Seule avec elle, sans que personne ne vienne épier mes moindres gestes, je pourrai lui dire combien je l'aime et combien elle m'a comblée de joie.

Vers 11 h, un hématologue est venu nous demander à tous les deux de le suivre à la salle de prélèvements pour des analyses de sang. Il se devait de prendre toutes les mesures nécessaires pour s'assurer que le sang de Josianne était adéquat et qu'il ne représentait aucun risque pour le receveur. Effectivement, le facteur 7, facteur de coagulation, semblait présenter une certaine anomalie chez Josianne et c'est la raison pour laquelle il voulait vérifier si l'un de nous deux n'avait pas le même problème. Si tel était le cas, cela voulait dire que tout était normal pour elle, que cela n'était pas conséquent à l'accident, mais plutôt tenait d'un facteur héréditaire. Le tout s'annonçait pour le mieux ; on amorce donc immédiatement une série de tests et d'examens chez le receveur pour le préparer à cette délicate intervention.

Mon mari et moi, après être allés rendre visite à notre petite, sommes allés prendre un petit repas, le premier depuis que nous étions arrivés. Nous devions avoir très mauvaise mine, car nous sentions que les gens nous examinaient furtivement. En regardant certains parents qui accompagnaient leur enfant en fauteuil roulant, souffrant de malformations, nous n'avons pas pu faire autrement que de penser que Dieu était injuste de venir nous enlever notre fille qui était en parfaite santé, au lieu de libérer de la souffrance ceux qui étaient affligés pour la vie de leur handicap. Je me sentais coupable de penser ainsi ; j'aurais dû plutôt me sentir privilégiée, vu que ma fille ne souffrirait jamais. Elle avait connu tout ce qu'il y avait de plus beau dans sa vie. Même un médecin nous a assurés que notre petite n'avait aucunement souffert ; il nous a expliqué que mourir par asphyxie, c'est une mort très douce ; instantanément, la conscience déclenche un phénomène d'insensibilité à la douleur.

Avant de retourner au salon, nous sommes allés, une dernière fois avant l'intervention, voir Josianne et l'avons embrassée affectueusement. Je lui ai demandé que tout se passe bien et lui ai murmuré à l'oreille que j'avais hâte de la bercer. J'étais très lucide et, cette force intérieure, je suis certaine que je la puisais en elle dès que je l'approchais.

Il était maintenant 18 h, le mercredi 9 avril. Un chirurgien vient nous voir une dernière fois avant d'emmener Josianne en salle d'opération. Il nous prend les mains chaleureusement et nous dit, lui aussi, combien il nous admire ; il ajoute que le receveur est âgé de 18 mois, nous dévoile son prénom et de quelle région il provient. Il nous assure que dès que l'intervention sera terminée, il nous en avisera.

La travailleuse sociale que nous avions rencontrée la veille vient nous rendre visite de nouveau en nous demandant si nous avions pris une décision concernant les arrangements funéraires de notre petite. Nous avons parlé longuement avec elle ; elle avait une approche très impassible, mais elle-même dégageait une chaleur, malgré tout, très remarquable. Nous lui avons souligné notre intention de recourir aux services d'un directeur funéraire, pour faire en sorte que parents et amis viennent rendre une dernière visite à notre petite, étant donné que cela était survenu si soudainement. Elle nous avoua que c'était psychologiquement la meilleure façon de débuter un deuil et que le fait de voir le corps inerte de l'enfant était une étape très importante pour abréger la période de négation de la mort. C'est un spectacle douloureux, nous dit-elle, mais quand il faut cautériser une plaie, c'est tout aussi douloureux. Les psychologues estiment que la vision du corps peut être thérapeutique.

Elle nous offre par la suite son soutien moral, si toutefois nous en ressentons le besoin dans les semaines à venir, et nous demande de ne pas hésiter à la contacter. Elle nous invite, si nous nous en sentons capables, à assister à des rencontres de parents endeuillés qui ont lieu à cet hôpital, une fois par mois. Elle nous quitte en nous disant qu'il y a justement une rencontre prochainement, soit le 29 avril, et exprime le souhait de nous revoir bientôt.

Nous étions seuls de nouveau dans notre « maudit refuge ». Le téléphone nous fit sursauter, comme à chaque fois qu'il sonnait d'ailleurs. Je dois souligner ici que dans le salon où nous étions, nous avions un appareil téléphonique dont nous pouvions nous servir en cas de besoin ; mais cet appareil étant aussi relié à celui de la réception des soins intensifs, chaque fois qu'ils recevaient un appel, la sonnerie se faisait entendre dans notre pièce.

Cette fois-ci, l'appareil ne s'arrêtant pas de sonner et personne ne semblant vouloir répondre, nous avons cru que l'appel était pour nous. Mais non ! C'était un journaliste de la presse télévisée qui voulait interviewer les parents du receveur. Nous sommes restés stupéfaits. Quelle énormité ! Mon mari lui a dit qu'il s'adressait au père du donneur et que ce n'était pas le moment approprié pour s'introduire ainsi dans notre plus profonde intimité et il raccrocha l'appareil.

Aussitôt, il se rendit à la réception des soins intensifs pour s'informer de ce qui venait de se produire. La jeune fille, n'étant pas à son poste alors, ne s'était pas aperçue de cet appel. Tout l'étage semblait affairé, mais pour une autre cause que la nôtre.

Entre-temps, le psychiatre est venu me rendre visite, s'informant du comportement de mon mari, car il s'est bien rendu compte que ce dernier acceptait très difficilement ce qui était arrivé. Mon mari entre au même moment et, à ma plus grande stupéfaction, lui adresse pour la première fois la parole. Il lui dit combien il est ému à l'idée qu'un autre enfant ait cette chance miraculeuse de pouvoir encore vivre plus longtemps, grâce à une transplantation. Le psychiatre le regarde avec hébétude et, prétextant le pire, lui explique qu'il vaudrait mieux ne pas mettre en cet enfant tout l'espoir que nous n'avons pu avoir pour Josianne. Mon mari lui répond que tout ce qu'il souhaite, après avoir vécu ces deux derniers jours de longue et pénible attente, c'est que cela n'aura pas été en vain pour sauver la vie de cet enfant. Il lui demande, pour terminer, s'il veut bien transmettre ce message aux parents du receveur : « Nous leur souhaitons du plus profond de notre cœur que la transplantation réussisse pour le mieux pour leur enfant. » Il a catégoriquement refusé, s'empressant de dire qu'il ne fallait pas faire porter notre fardeau par les parents du receveur, qui, eux aussi, avaient à traverser des moments difficiles.

Une fois le médecin sorti de la pièce, mon mari est effondré et très déçu de s'être fait repousser ainsi. À cet instant, je ne réagis pas tellement à cette remarque désobligeante, étant plutôt anxieuse de revoir Josianne bientôt. Ce n'est que plus tard que ma réaction s'est fait sentir, et comment...!

Il était environ 19 h. On aurait dit que tout s'enchaînait. De nouveau la sonnerie du téléphone qui s'entêtait à résonner jusqu'au plus profond de mes entrailles. Prévoyant recevoir un appel des parents, nous répondons encore, et cette fois-ci c'est un médecin de l'extérieur qui s'informe si l'hôpital avait trouvé un receveur pour la greffe d'un foie, parce que lui aussi venait de contacter des parents dont l'enfant était un receveur compatible. Malgré moi et sous le coup de l'émotion, je n'ai pu faire autrement que de penser : « C'est comme un entrepôt », et je me suis mise à pleurer toutes les larmes que je retenais depuis des heures, m'imaginant qu'on courait après notre petite pour lui arracher ses morceaux alors qu'elle était encore toute chaude et que son cœur battait encore pour nous. Un médecin nous annonce que ça ne tardera plus longtemps à présent.

Il devait être aux alentours de 22 h. Le moment tant attendu et à la fois très redouté arrive. Un chirurgien vient nous avertir que l'intervention pour Josianne est terminée et que si nous voulons la voir, nous pouvons aller avec lui. Nous entrons dans une espèce de petite salle où on a installé Josianne. Il se produit comme un écho dans mon cœur qui m'empêche d'entendre ce que le médecin nous dit. Je vois soudain, dans un petit couloir, un petit lit comme on en voit dans les hôpitaux quand un enfant se fait opérer. Le côté du lit n'est pas relevé comme si c'était une enfant opérée, comme pour mon garçon qui avait été opéré pour les amygdales quelques années auparavant. J'ai pensé instinctivement : « Elle aurait pu tomber » ; mais non, c'était inutile, elle ne pouvait plus jamais tomber. On nous a installé une chaise berçante, tout comme je l'avais demandé, près du petit lit, et on nous a laissés seuls. Je me suis approchée d'elle la première ; elle avait sa petite jaquette d'hôpital, ses mains et ses pieds étaient encore marqués par toutes les injections ou prélèvements qu'on avait dû lui faire. J'ai caressé ses petites joues un bon moment ainsi que ses cheveux mal peignés, en broussaille, mais qui la rendaient tout de même coquette ; je l'ai embrassée tendrement sur sa petite bouche en cœur qui déjà n'était plus aussi rose, et l'ai prise dans mes bras pour la bercer. Il me semblait qu'elle était plus lourde, sa petite tête ne se blottissait plus comme d'habitude contre mes seins, tout comme elle s'amusait à le faire en s'y frottant le nez et en disant que c'était son oreiller. Je la serrai très fort contre moi et lui chantai les chansonnettes qu'elle affectionnait à chaque soir quand je la berçais.

Je sentis soudain une chaleur sur mon ventre qui me fit frissonner. Comme il devait y avoir autopsie le lendemain matin, on n'avait recouvert que d'un pansement la plaie sur sa poitrine qui n'avait pas été refermée, et c'était du sang encore chaud qui imprégnait ma jupe. Je n'ai cependant pas été horrifiée par ce qui venait de se produire ; sauf que cette chaleur m'a ramenée au jour où j'avais Josianne dans mon ventre et que je la sentais vivante en moi. Je crois à ce moment avoir ressenti autant de douleur que lorsque je l'avais mise au monde. C'était inadmissible ! Je l'avais portée en moi, au chaud durant neuf mois, et voilà que maintenant, même morte, c'est elle qui me réchauffait. Dès ce moment, je ne puis dire ce qui s'est passé en moi mais j'ai été prise d'un grand bien-être et j'ai ressenti un tel calme et une telle sérénité que tout ce que je faisais devenait pour moi très habituel. J'ai cru un instant que je sentais de nouveau frémir cette vie en moi, laquelle vie j'avais donnée deux ans auparavant. Ce fut la plus grande force qui me fut alors donnée pour affronter ce qui devait suivre. Nous sommes demeurés avec elle plus d'une heure, à lui parler de tout ce qu'on avait fait ensemble, de tous nos rêves construits pour elle et qui s'éteignaient brusquement pour nous mais s'envolaient avec elle.

Avant de la quitter, mon mari l'a prise à son tour quelques instants dans ses bras, l'a redéposée dans son petit lit et l'a « veillée » pendant qu'une garde-malade tentait de nettoyer ma jupe avant que l'on s'en aille. Mon mari n'avait pas aimé la façon dont ils nous l'avaient amenée. Ils n'avaient pas fait en sorte que nous ne nous rendions pas compte du « dépeçage médical », comme il disait ; il trouvait qu'elle avait l'air d'un petit chien abattu et laissé dans un fossé.

Ce fut très douloureux de partir sans la ramener avec nous. C'était la première fois qu'elle ne dormirait pas à la maison. Encore une fois, nous l'avons embrassée en lui tenant les mains. Déjà, je faisais ce dernier geste avec affection, mais je savais qu'elle était sûrement au-dessus de nous à regarder cette scène tout en nous recouvrant de son amour.

Il était 23 h lorsque nous sommes retournés dans la pièce prendre nos manteaux — car c'est tout ce qui nous avait suivis — presque soulagés de ne plus jamais y revenir. Le pneumologue du département de pédiatrie nous a rencontrés avant que nous partions, en nous disant que dès qu'il aurait en main le rapport préliminaire de l'autopsie, il nous contacterait. Le chirurgien, qui se trouvait encore aux soins intensifs, nous donna le numéro de téléphone du médecin qui pourrait nous informer des dernières nouvelles concernant la greffe et nous dit de ne pas hésiter à le contacter, qu'il se ferait un plaisir de nous parler.

Il devait être minuit quand nous avons pris le chemin du retour. Deux des membres de notre famille étaient venus nous retrouver, afin de ramener l'auto, car il n'était pas question que nous conduisions avec toute cette fatigue qui s'était emparée de nous depuis ces deux jours.

Nous nous sommes rendus à la maison, seuls dans notre affliction. L'épuisement et l'émotion nous ont empêchés de dormir cette nuit-là. Très tôt, nous devions contacter un directeur funéraire. Tous les préparatifs se succédaient méthodiquement ; les vêtements de Josianne, les fleurs, la petite réception intime qui se donnerait après les funérailles, etc. On aurait dit que j'avais tout prévu à l'avance.

Mon mari, de son côté, appela à l'hôpital pour s'enquérir des nouvelles de la transplantation. Une préposée à la réception lui répondit et, après qu'il se fut identifié, elle le transféra à une autre personne. Elle n'avait absolument rien compris de sa demande sauf qu'il voulait savoir comment cela s'était passé pour la transplantation hépatique. Cette personne dit alors à mon mari que tout s'était bien déroulé et que pour l'instant l'enfant était sous surveillance intensive. Elle lui communiqua aussi combien ils étaient émus et nous remerciaient au nom de l'hôpital. Après avoir raccroché l'appareil, il m'expliqua que l'infirmière semblait très émue au point d'avoir de la difficulté à s'exprimer. Nous pensâmes alors combien c'était réconfortant de savoir qu'il y avait plein de gens dans notre entourage qui sympathisaient avec nous.

Mon mari alla ensuite chercher Yann pour le ramener à la maison. En le voyant arriver, je crois qu'il savait déjà, même si son père ne lui avait encore rien dit. Il m'a regardée et, sans même m'embrasser, est allé dans sa chambre. Je l'ai laissé seul quelques minutes puis je suis allée le rejoindre. Je me suis assise sur son lit et je lui ai dit que les petits anges avaient bien compris notre prière ; ils avaient besoin d'un autre petit ange avec eux pour faire des fêtes avec Jésus.

Je lui ai dit que nous étions contents de le revoir et que nous nous étions ennuyés de lui, détournant ainsi un peu le sujet, par crainte de sa réaction. Il n'ouvrait même pas la bouche, ni ne me regardait. Il prit soudain sa boîte de crayons à colorier et, un par un, les lança par terre. Je lui dis que nous étions fiers que Josianne ait été choisie pour devenir un ange et qu'elle viendrait à chaque nuit le protéger comme son petit ange gardien. Je lui ai expliqué que nous la verrions le lendemain dans un beau petit lit de satin blanc, entourée de fleurs, et que même si elle ne bougeait pas, elle verrait que son petit frère est près d'elle pour souligner cette belle fête.

Ce fut la seule réaction négative que j'ai pu remarquer chez lui ce matin-là. Sans me parler de Josianne, il m'a demandé des rubans, des tissus, de la dentelle et s'est installé pour bricoler tout l'avant-midi. Ce bricolage était pour décorer le cercueil de sa petite sœur. J'étais très émue quand il m'a demandé si Josianne aimerait le bleu avec le rose et si je voulais l'aider à tenir les rubans pendant qu'il collait. J'ai tout de suite su que mon garçon faisait déjà les premiers pas vers l'acceptation.

Les deux jours qui suivirent se déroulèrent très vite. Yann était surexcité au salon funéraire, mais nous le laissions faire ; sans doute se défoulait-il ou participait-il tout simplement à une fête donnée en l'honneur de sa sœur, tout comme je le lui avais expliqué. Nous avions tous nos parents et amis près de nous. C'était très touchant de voir qu'ils nous soutenaient et partageaient avec nous ces moments difficiles. Tout se termina par les obsèques, la visite au cimetière qui fut touchante lorsque Yann déposa une rose sur le petit cercueil avant de le voir disparaître pour toujours, et la petite réception donnée dans la plus stricte intimité au sous-sol de l'église.

Tout allait trop rapidement pour moi ; malgré ma douleur, j'aurais voulu que ces derniers moments m'appartiennent et ne s'en aillent plus jamais. Nous n'avions pas le temps de penser à nous, aux jours qui allaient devenir difficiles à traverser sans la présence de Josianne à la maison ainsi que dans notre vie. Quel vide dans mon cœur !

Le soir, en rentrant à la maison après avoir quitté nos parents et amis, nous nous sommes retrouvés tous les trois seuls. Dans un coin de la cuisine, ce sont ses jouets qui m'ont fait réaliser que jamais plus elle ne s'en servirait. Pour la première fois depuis quatre jours, je pénétrai dans sa chambre qui était restée telle que le matin où elle s'était éveillée pour la dernière fois. D'ailleurs, cette pièce demeura intacte un certain temps avant que je puisse me décider à ranger les vêtements et les choses qui ne serviraient plus.

Les jours qui suivirent furent pénibles, mais il fallait tout de même se ressaisir pour conserver un certain équilibre, afin de ne pas trop perturber l'existence de notre fils. Il s'est amusé durant un certain temps avec les jouets de sa petite sœur, et, peu à peu, les a délaissés. Il a aussi dormi quelques soirs dans la chambre de notre petite, avec ses poupées et ses « toutous ». Je pense que ce fut sa façon à lui de traverser son deuil d'enfant. Il s'est mis par la suite à ne parler que d'elle, de ce qu'elle faisait, de ce qu'elle pouvait bien faire en ce moment. Et depuis, il n'y a pas eu une seule journée où il n'a pas été question de sa petite « Josy ».

Deux semaines passèrent et nous reçûmes un appel de l'hôpital nous avisant que le rapport préliminaire de l'autopsie était maintenant disponible au bureau du pneumologue. Entre-temps, mon mari avait exprimé son intention d'assister à la rencontre dont on nous avait parlé pour parents en deuil. Nous avons donc profité de l'occasion pour fixer un rendez-vous le jour où la rencontre avait lieu.

Cela m'avait beaucoup étonné de la part de mon mari qu'il veuille se présenter à ce genre de réunion, car il avait du mal à s'en remettre et ne parlait pas beaucoup (comme le psychiatre le lui avait fait remarquer). Il avait même prévu d'apporter une photo de Josianne pour laisser à la réception, à l'étage des soins intensifs, afin que les préposés l'offrent en souvenir aux parents de l'enfant qui avait reçu la greffe, mais seulement si ceux-ci le désiraient. Quoique je ne fusse pas plus enthousiasmée que cela à l'idée de laisser une photo à l'hôpital, je n'ai pas discuté à ce sujet, croyant que c'était le début de sa « guérison ».

Le jour fatidique arriva. C'était un mardi, trois semaines après le décès de Josianne. En franchissant le seuil de l'hôpital où nous avions séjourné quelques semaines auparavant, nous avons eu des frissons. Les souvenirs remontaient à la surface et ne s'estomperaient jamais. Nous étions arrivés une bonne heure avant le rendez-vous fixé, afin de nous permettre de nous acclimater de nouveau à ces lieux. Mon mari avait précieusement en main une photo de Josianne. Il avait choisi la plus belle, naturellement. Très fièrement, d'un pas plus ou moins assuré, nous sommes arrivés à l'étage où se trouvait la salle des soins intensifs. Inutile de vous dire que les palpitations étaient de la partie. Mon mari a expliqué à la préposée qui se trouvait à la réception, et qui nous avait reconnus, que dans l'enveloppe il y avait une photo de Josianne et que, advenant le cas où les parents du receveur en manifesteraient le désir, elle pourrait la leur remettre avec toute notre affection. Elle acquiesça avec grand plaisir. Quelle ne fut pas notre surprise, quelques instants à peine après être sortis de la salle en question, d'apercevoir le psychiatre rencontré précédemment. Il nous salua d'abord et se mit à rabrouer mon mari d'une façon plus que déconcertante, s'étant rendu compte que nous avions déposé à la réception une photo de notre petite. Il rappela à mon mari qu'il ne devait pas agir ainsi pour le plus grand bien des parents du receveur, lesquels étaient encore à se remettre de leurs émotions à la suite de notre appel le lendemain de la transplantation. Il nous dit alors qu'il vaudrait mieux récupérer notre photo et ne plus s'informer ainsi de l'enfant, car vu l'état de la mère à la suite de cet appel, il ne voulait pas de nouveau « ramasser les pots cassés ».

Je n'avais pas réagi la première fois qu'il avait parlé ainsi à mon mari, mais laissez-moi vous dire que cette fois-ci je me suis payé tout un moment de défoulement. Ne lui laissant plus la chance de poursuivre la discussion, je l'interrompis immédiatement et je lui dis que cela suffisait, que c'en était trop. Je lui demandai donc de nous expliquer quel était cet appel téléphonique qui avait tant bouleversé les parents. C'est à ce moment que nous avons su que mon mari, lorsqu'il avait appelé pour avoir des nouvelles, avait été transféré à la mère du receveur. C'est la raison pour laquelle la personne au bout de la ligne était plus qu'émue en parlant à mon mari. Mais qui aurait pu savoir à ce moment-là que cela deviendrait si tragique, comme le psychiatre nous le laissait entendre, à part la réceptionniste qui avait manqué de clairvoyance et de perspicacité ?

Nous étions estomaqués, car il pensait que nous voulions harceler les parents, j'en suis certaine. Je lui dis alors que tel n'était pas notre but en appelant à l'hôpital ; c'était plutôt un privilège qui nous revenait, après avoir traversé ces durs moments ; nous méritions fortement d'avoir des nouvelles avant que les médias d'information s'en emparent. Ce n'est pas que nous voulions exiger quelque chose en retour de ce don ultime, et qui provient du plus profond de notre être, mais c'était une réaction tout à fait normale, je crois, même si je ne suis pas psychiatre ni psychologue.

J'ajoutai que nous aussi aurions pu être très frustrés quand, le soir de l'intervention, on nous informa du prénom, de l'âge et de la provenance du receveur ; quand aussi le téléphone avait sonné à deux reprises, une première fois quand un journaliste de la télévision demanda une interview avec les parents du receveur, et une deuxième fois quand un médecin s'informa si l'hôpital était toujours à la recherche d'un receveur. (J'ajouterai ici qu'en plus, quelques mois plus tard, nous avons vu quatre enfants à la télévision lors d'un reportage sur la greffe hépatique qui se pratiquait à cet hôpital, et que, connaissant le nom de l'enfant, nous avons immédiatement su qui était le receveur.) Personne ne s'était préoccupé à ce moment-là si nous apprécierions ce genre d'intrusion !

Je lui suggérai d'aviser la direction de l'hôpital afin qu'on voie, dans les plus brefs délais, à améliorer la qualité du système téléphonique ou du personnel et à réviser la méthode de soutien des parents en deuil dans une telle situation.

Je crois qu'il en avait assez de m'entendre et, comme pour s'excuser, il nous dit qu'il devait nous quitter pour un rendez-vous important et qu'il nous contacterait à un moment donné. Jamais nous n'avons eu de nouvelles de lui, ni par lettre ni par téléphone, ce qui témoigne d'un manque total de diplomatie.

Je lui écrivis subséquemment, n'ayant sans doute pas fini de lui dire ce que je pensais lors de notre rencontre avec lui, laquelle avait eu lieu à l'improviste.

Je lui expliquai qu'après l'avoir quitté nous avions été reçus par le pneumologue de l'hôpital pour prendre connaissance du rapport de l'autopsie comme prévu et que je lui avais raconté notre mésaventure. Je lui décrivis également comment la rencontre de « parents en deuil » s'était déroulée le même soir. Le thème de cette soirée était : « Qu'avons-nous posé comme gestes positifs pour faire en sorte de mieux vivre notre deuil ? » De mon côté, j'avais bien apprécié cette rencontre.

On nous y demanda de mettre sur papier tous les gestes posés que nous considérions positifs à ce jour. Comme j'ai plus de facilité à m'extérioriser et à m'exprimer, la plume était légère au bout de mes doigts, mais mon mari n'écrivait absolument rien. Pour lui, les seuls gestes qu'il avait crus positifs avaient été de faire le message aux parents du receveur que nous leur souhaitions toute la chance du monde et d'apporter une photo de notre petite en souvenir. Tout avait été anéanti par ce « psychiatre ». Je me vantai aussi en lui avouant que, pour ce qui était du « fardeau » dont il avait déjà fait mention, nous réussissions bien à le porter nous-mêmes sans importuner qui que ce soit. Je le rassurai en lui disant que nous avions récupéré la photo de Josianne (tout en pensant que si j'avais été la mère du receveur, j'aurais sans doute été des plus heureuses de posséder un tel souvenir).

Je terminai ma lettre en lui disant que s'il s'était inquiété un moment de l'état de la mère du receveur, c'est maintenant moi qui m'inquiétais de l'état du père du donneur. De plus, je me fis un plaisir de lui faire savoir que le fait de lui avoir écrit, même si cela le décevrait, me soulageait et me faisait le plus grand bien et qu'en plus mon « fardeau » était de plus en plus allégé. Cette lettre avait été adressée en « copie conforme » à deux autres membres du personnel de l'hôpital afin qu'ils sachent, malgré le soutien et le réconfort que la plupart nous avaient apportés, ce qui nous était arrivé de malencontreux. Je souhaitais que notre expérience serve de « leçon » ou d'« exemple » afin qu'ils agissent autrement au moment où ils auraient de nouveau à faire face à une pareille situation concernant des parents d'un donneur dépourvus comme nous l'avions été.

C'est un peu avec amertume que j'avais écrit cette lettre. Aujourd'hui, j'essaie de comprendre pourquoi tout cela nous est arrivé. Nous avions, il me semble, assez de douleur sans qu'il faille y ajouter ce manque de délicatesse qui nous a tellement peinés. Était-ce l'inexpérience du personnel médical à s'occuper en même temps des parents du donneur ainsi que de ceux du receveur ? Nous espérions à ce moment-là que le fait de l'avoir mentionné améliorerait le système actuel, car il était très important pour nous de penser et de croire que tous ces enfants en attente de dons d'organes avaient droit à la vie et méritaient que leur vie soit prolongée et même sauvée, vu la possibilité qui leur en était offerte grâce à notre médecine moderne.

Après une année, celle qui fut la plus difficile à cause de tout ce qui nous rappelait Josianne — soit son anniversaire de naissance, Noël, le premier anniversaire de sa disparition — un besoin profond d'avoir un troisième enfant se fit soudain sentir, à notre plus grande joie et surprise. Nous n'avions jamais pensé et n'avions jamais cru être capables de donner de l'amour à un autre bébé, de crainte de vouloir remplacer notre petite, mais notre destin avait déjà fait sien notre petit Cédrick.

Il ensoleille nos jours, qui étaient devenus trop sombres. Il est parmi nous depuis le 18 mai 1988. Il a les yeux bleus et les cheveux blonds ; il ressemble merveilleusement à son grand frère. Quel cadeau du ciel pour lui, cher Yann ! Inutile de dire que nous vivons intensément des moments de grande émotion et en profitons pleinement.

Malgré toutes les préoccupations que notre bébé apporte, il y a toujours une grande place pour notre petite Josianne. Nous nous accordons des instants pour penser à elle et surtout pour en parler. Elle est toujours présente pour nous et la venue de notre petit Cédrick ne fait que consolider notre amour de couple et de parents. Notre cœur est capable d'aimer encore davantage et nos trois enfants y prennent également leur place.

C'est un amour grandissant qui naît en nous. Quand j'écris plus haut que notre petite fille est toujours présente, je veux dire que c'est sous cette forme qu'elle continue à se manifester, c'est-à-dire que physiquement elle n'y est plus mais qu'elle s'est transformée en un amour inépuisable.

Qu'importe ce que l'avenir nous réserve. Cette vulnérabilité à fleur de peau nous côtoie quotidiennement, mais nous avons été capables de l'apprivoiser et d'en faire notre alliée. Ce qui est le plus important pour nous, c'est de pouvoir encore vivre de grandes joies et de nous émerveiller de nouveau devant un enfant malgré tout ce que nous avons vécu, sans nous priver de trop aimer de peur de devoir souffrir de nouveau.

J'ai eu tellement de chagrin et une peine si profonde d'avoir perdu celle que j'avais toujours souhaité voir grandir et devenir ma meilleure amie, mais ma souffrance, notre souffrance, n'a pas eu le dernier mot. L'Amour a triomphé et a fait de nous des vainqueurs !

Nous offrons à tous les parents qui comme nous ont vécu la perte d'un enfant, ou à ceux qui éventuellement auront à y faire face un jour, cette lettre d'espoir et d'amour.

Il y a déjà trois ans que tu n'es plus de ce monde, même si dans nos cœurs tu existes toujours. C'est avec grande émotion mais avec tellement de conviction que je t'écris cette lettre, sachant même que tu n'as pas à la lire, car c'est toi mon inspiration à présent.

Il y a eu et il y a encore des moments très difficiles à traverser ; et, de toute évidence, il y en aura toujours. Certes, ta présence physique est ce qui nous manque le plus ; ta beauté, ton sourire, ta démarche, ton intelligence, bref, tout ce qui faisait de toi ce petit être que tous chérissions.

Ton séjour fut très court sur cette terre, mais combien fut-il rempli ! Tu fus de passage tel un petit ange venu pour apporter la bonne nouvelle... Il est très difficile de comprendre toutes ces choses. On se pose des tas de questions, sans aucune réponse concrète, mais je conserve un grand espoir qu'il y a une suite à tout cela. Depuis cette grande épreuve, j'ai acquis une sérénité jusqu'ici inconnue en moi-même.

Je vois la vie sous un nouveau jour ; je mords à belles dents dans tout ce qui avait plus ou moins d'importance à mes yeux ; un rien m'éblouit ; le chant d'un oiseau, la pluie, la neige, les enfants, les vieillards, finalement tout ce que j'ai manqué de si merveilleux auparavant et qui semblait faire partie du quotidien. Il suffit malheureusement d'avoir traversé une telle épreuve pour se rendre compte que tout ce qui existe autour de nous est si vulnérable et éphémère, et en même temps tellement précieux pour ceux qui savent être à l'écoute et attentifs à tout ce qui respire et transpire cette promesse d'éternité dans sa moindre parcelle.

Il m'arrive souvent de revivre les derniers instants de ta vie jusqu'au moment où tu fus revêtue d'un linceul de neige. Ce sont des événements qui arrivent si soudainement et l'on doit agir si précipitamment qu'il nous semble vivre un mauvais rêve. L'on se doit de faire le point à un moment donné ; c'est très difficile de ressasser ces moments, mais je crois que c'est nécessaire pour pouvoir apprendre à continuer de vivre face à cette vérité. C'est comme si je visionnais un film où je ne serais pas du tout concernée ; évidemment, c'est le film le plus triste que j'aie jamais vu. Je me demande comment cette mère, très lucidement d'ailleurs, fait pour être capable de bercer sa petite en lui chantant ses berceuses préférées pour la dernière fois, alors qu'elle vient de rendre le dernier soupir. Elle va même jusqu'à bricoler avec son garçon de 8 ans un petit ange de soie et de dentelle qu'il veut offrir à sa petite sœur pour décorer son cercueil blanc.

Aujourd'hui, alors que je revois ces images plus sereinement, je me surprends à me plaire dans cette vision, allant même jusqu'à avoir trouvé la cérémonie des funérailles très belle. Je me rappelle avoir tout préparé avec soin, tout comme je l'aurais fait le jour de ton mariage : tes petits bijoux, tes barrettes, ta plus belle robe bien pressée. Toi qui étais déjà si coquette, je suis certaine que tu as bien apprécié. Lorsque nous sommes arrivés le premier jour au salon funéraire, c'est avec le cœur rempli d'émoi, malgré tout le chagrin qui nous habitait, sans oublier toute l'amertume encore non extériorisée, que nous nous sommes avancés, papa, Yann et moi, vers la plus belle de tous les anges. Nous étions très fiers de présenter à nos amis, qui sont venus sympathiser avec nous, notre petite poupée, parmi ce jardin des merveilles des plus fleuris qui semblait faire partie d'un conte de fées.

Toi qui aimais les rondes et les fêtes, tu as été des plus choyées. Je n'avais jamais vu un aussi beau cortège. Les quatre petits copains de Yann, escortant ton « berceau », affichaient une fière allure en te berçant une dernière fois.. Même la petite réception que nous avons donnée pour recevoir parents et amis intimes fut très bien réussie. Tes petits cousins et cousines fêtaient avec toi ce qui devait être la plus belle journée de ta courte vie.

Je sais que tu y es pour quelque chose, autrement je n'aurais pu m'en sortir de cette façon. Je suis convaincue que tu revis, non pas près de nous, mais en nous.

Tu te fais encore bercer, mais au gré de nos sentiments, tantôt d'une manière paisible, mais tantôt avec un peu de colère. Excuse-nous pour ce rythme saccadé, toi qui marquais si bien la cadence... C'est probablement ce que tu as fait grandir en nous qui nous chavire tant, nous qui faisions tout notre possible pour t'aider à grandir en sagesse et en beauté ; voilà que les rôles semblent inversés. Pour ce qui est de grandir en beauté, je dois te dire que tu avais bien débuté ; tu étais d'une beauté indescriptible. Je peux encore admirer tes beaux yeux noirs, car tu possédais les mêmes yeux que papa, ces derniers reflétant encore quelquefois les mêmes larmes que les tiens, et, vois-tu, je continue à les essuyer. Pour ce qui est de ta sagesse, tu y es parvenue avant nous ; mais en acceptant de te voir mener une vie autre que sur terre, je pense être sur le point d'atteindre une partie de ta sagesse et je t'en remercie.

Sache bien que malgré ces deux courtes années, lesquelles ont été nos plus belles, tout ce que nous avons bâti ensemble, pour toi et avec toi, fut fondé sur ce qu'il y avait de plus grand.

Les joies que tu nous a apportées sont immenses et elles alimenteront tous nos jours à venir, jusqu'à ce que nous nous réunissions tous dans le petit nid d'amour que tu es sûrement en train de nous tisser dans un coin du paradis.

En attendant, aime-nous comme nous t'aimons, intensément et du plus profond de notre cœur ! Pense à nous comme nous pensons si souvent à toi, à chaque instant, seconde et minute de notre vie ! Écoute-nous comme nous saurons être à l'écoute de nos instincts guidés par la voix de Dieu en toi ! Attends-nous patiemment comme nous avons si bien su t'attendre, si bien su préparer ton arrivée durant neuf mois tant prémédités !

Je ne sais comment te remercier, ma chérie, pour tout ce que tu as su nous léguer en héritage : ton amour, *lequel je sens déborder avec tous ceux qui m'entourent et que j'aime ;* la force et l'espoir *que tu nous donnes ;* merci pour la vie *que tu as permis de donner à un autre enfant, par le second souffle de vie que tu lui as offert !*

Merci pour le courage *que tu nous a donné quand nous avons pris la décision de donner à Yann un petit frère que tu as sans doute croisé sur ta route céleste. Sois bien assurée, mon amour, que cet enfant ne te remplacera jamais, mais tout ce que nous souhaitons, c'est de pouvoir lui procurer autant de joie et d'amour que nous t'avions prodigués et que tu nous rendais si bien.*

Merci finalement à Dieu qui nous donne la chance de sortir grandis de cette lourde épreuve et surtout de m'avoir permis d'exprimer des sentiments tellement profonds et difficiles à mettre sur papier, car j'ai dû m'interrompre d'écrire à plusieurs reprises, quelques larmes étant venues s'ajouter à ce tableau...

Au revoir, notre petit ange !

Maman et papa.

DEUXIÈME PARTIE
Mourir en jouant

Vingt ans après

par
Yolande Pelletier

DENIS

DENIS PELLETIER
14 mai 1961— 27 août 1967
Heurté par une voiture à l'âge
de 6 ans et 3 mois.
« Aujourd'hui, vingt ans après. »

Une date inoubliable

Aujourd'hui, c'est le 14 mai,
il est huit heures du soir.
L'heure où tu es venu au monde.
Je me souviens, c'était un dimanche,
le jour de la fête des mamans.
Je voulais te donner la vie, cette journée-là.
Pour moi, c'était le plus beau cadeau
que je pouvais m'offrir dans ma vie.
Surtout quand j'ai vu ce petit trésor,
cette petite beauté.
J'étais comblée.
Mais que de souffrances
quand, six ans plus tard,
tu devais mourir de façon aussi atroce!
Pour moi, tout s'écroulait.
Je ne verrais plus ce petit enfant tant aimé.
Après toutes ces années, je veux te remercier pour les six
années passées ensemble, les plus belles de ma vie.
Je t'aime, mon enfant.

Bonne fête, cher fils.

Maman.
(Mai 1983)

Je ne pensais jamais pouvoir accepter la mort de mon fils Denis.
Je ne pouvais imaginer vivre sans lui.
Pour moi, c'était inhumain.
Puis, avec les années, j'ai compris que je me faisais mal.
Je savais que je ne le reverrais plus.
Je me suis habituée à ce qu'il ne soit plus près de moi.
Puis j'ai commencé à accepté un peu à la fois,
pour arriver à l'acceptation.
Moi, je dis que j'ai accepté l'inacceptable.
Mais Denis aura toujours sa place dans mon cœur.

(2 octobre 1983)

Que de tristes souvenirs quand je pense à la mort de mon fils Denis, âgé de 6 ans. Une épreuve dont je ne pensais jamais me remettre. J'étais incapable d'accepter de ne plus le revoir. Quand il est décédé, je me disais : « Il ne peut rester seul. Il a besoin de moi. » Je pense que ma plus grande peine était de savoir qu'il était seul au cimetière. Je me disais : « Il va étouffer, il va avoir froid, et comme il doit avoir peur ! » Vivre cela est atroce et indescriptible, ça fait tellement mal. C'était comme si j'avais été coupée en deux morceaux. Je ne dormais plus, je ne pensais qu'à la mort de mon fils. Allais-je devenir folle ? Je ne voyais qu'un long tunnel noir dans lequel je pensais vivre toute ma vie. Je voulais mourir, aller rejoindre mon fils. Je suppliais Dieu pour qu'Il me ramène à lui.

Dieu, je Lui en ai voulu longtemps ; pour moi, c'était Lui qui était venu le chercher. Il avait dit : « Mon petit Denis, c'est ton tour aujourd'hui. » Mais, avec les années, j'ai compris que son heure était arrivée de partir.

J'en voulais aussi à la personne qui l'avait frappé avec sa voiture. Pour moi, elle était la grande responsable et elle n'avait porté aucune attention, puisque Denis avait été frappé sur le trottoir. Je voulais venger mon fils. J'étais devenu agressive et très angoissée. Je me disais : « Pourquoi moi ? »

Après les premières semaines qui ont suivi la mort de mon fils, ma famille ne me parlait plus de lui. Je me disais : « À quoi bon vivre, pour être oublié si vite ? » Quelques années plus tard, ma belle-sœur m'a dit : « Je pensais que c'était mieux de ne pas en parler, que cela te faisait moins mal et que tu oublierais. » Oublier ? Jamais. Il faut avoir perdu un enfant pour comprendre.

Puis je fus très malade pendant deux ans. C'est pendant ma maladie que j'ai commencé à vouloir revivre. Je ne voulais plus mourir. C'est à ce moment là que je me suis aperçue à quel point j'avais délaissé mon autre fils. Il vivait à côté de moi et je ne le voyais plus. Je ne pensais qu'à la mort de Denis.

Mon fils a beaucoup souffert de la mort de son frère, et aussi de mon manque d'affection envers lui. Je n'étais plus capable de démontrer aucun sentiment. Cela me faisait beaucoup de peine. Comment faire pour redevenir la maman que j'étais avant ?

Ce n'est que plus tard que j'ai réalisé qu'il ne faut pas oublier les enfants qui restent. Ils ont encore plus besoin de nous après cette épreuve. Ils n'ont pas à payer pour ce malheur qui nous arrive.

Le temps aidant, j'ai commencé à reprendre goût à la vie. Je voulais revivre une vie normale. Je suis allée voir une travailleuse sociale qui m'a fait comprendre que je ne pouvais donner plus à mon fils, à ce moment-là. Parce que la peine était trop grande, elle avait pris toute la place.

Ce qui m'a beaucoup aidée, ce sont les amis compatissants, un organisme pour parents ayant perdu un enfant. C'est à ma première réunion que j'ai compris que je n'étais pas seule, qu'il y avait d'autres parents qui souffraient et vivaient la même chose que moi.

D'année en année, je peux dire que je suis devenue de plus en plus heureuse. J'aime la vie. Je suis devenue une « mamie » qui adore son petit-fils. J'ai retrouvé mon cœur d'enfant. Et pour moi la vie est redevenue très belle.

Le temps pour moi fut un grand guérisseur. Je n'oublierai jamais mon fils décédé. Il restera toujours dans mon cœur mais j'ai appris à vivre sans lui.

Yolande Pelletier.
Une amie compatissante.
(9 février 1988)

Réapprendre à vivre

par
Rolande Ravenelle

> *Mon garçon a été cueilli comme un épi d'or.*
> *Je trouvais, je trouve que c'est trop tôt.*
> *Le moissonneur le trouvait tellement beau.*
>
> Auteur inconnu.

JEAN-FRANÇOIS

Mon frère

Mon frère est mort.
Pour moi c'était de l'or.
Avec lui j'étais heureuse,
Mais sans lui je suis malheureuse

JEAN-FRANÇOIS RAVENELLE
23 janvier 1978 — 17 juillet 1985
Décédé à l'âge de 7 ans et demi.
« Aujourd'hui, trois ans après. »

« Maintenant, il n'habite que dans mon cœur »

17 juillet 1985

Que s'est-il passé ? Tout se dérobe sous mes pieds ! Le monde s'écroule autour de moi ! Jean-François n'est plus. C'est l'effondrement. Je cherche la cause, le pourquoi de cet accident. Mais qu'ai-je fait pour subir une telle épreuve ? Il a fallu que je me rende à l'évidence : il n'y a pas de réponse, il n'y a rien à expliquer. Je suis impuissante devant certains événements de la vie. Celle-ci ne tient qu'à un fil, un fil bien fragile.

Mais 7 ans et demi, n'est-ce pas trop jeune pour partir ? Jean-François, si plein de vie, si éveillé à la nature, à la fois plein d'assurance et d'insécurité, doux et calme, ce fils qui nous surprenait par sa vivacité et sa perspicacité, ce fils avec ses bons et mauvais côtés d'un garçon de son âge, est hors de ma vue. Je ne peux plus le toucher, le caresser, l'écouter. Maintenant il n'habite que dans mon cœur.

Il me faut du temps pour m'adapter à cette nouvelle vie. Il me faut du temps pour me réajuster dans un environnement où il manque un être cher.

C'est réapprendre à vivre à l'intérieur d'une famille où nous ne sommes que trois. C'est apprendre à n'être que trois aux repas. C'est apprendre à faire des loisirs, des sorties à trois. C'est continuer la vie quotidienne avec toutes les tâches qui semblaient bien banales mais qui présentement sont pénibles à accomplir. Tous les jours ça fait mal, mais, plus le temps avance, plus les choses se radoucissent.

Des souvenirs pénibles mais nécessaires pour moi se bousculent dans ma tête. Comment survivre alors qu'autour de moi la vie continue et que je ne peux plus suivre avec autant d'ardeur et de conviction qu'avant ? Sommes-nous encore une famille alors qu'un fils n'est plus ? Son absence pèse lourd. La vie n'est plus la même. Pour son père et sa sœur, il y a un ajustement à faire aussi. Je ne suis pas la seule à vivre cette douleur.

Que c'est difficile de survivre au décès de mon enfant ! C'est un combat de tous les instants. Le chemin est semé d'embûches. Par contre, après quelque temps, il me semble voir un peu de lumière au loin, une lueur d'espoir.

Les personnes de mon entourage sont maladroites dans l'aide qu'elles veulent m'apporter. Si seulement j'avais pu leur dire ce dont j'avais besoin. Je pensais qu'elles sauraient, qu'elles devineraient mes besoins. Je sais qu'elles veulent bien faire ; mais elles ne peuvent identifier cette aide. Elles ont été prises par surprise. Une amie m'écrivait ceci lors du 1er anniversaire du décès de Jean-François :

> « L'enfant dans le sein de sa mère est heureux. Lorsque vient le temps des contractions et de la délivrance, il a peur. Cette nouvelle vie, il apprend à l'aimer et à la goûter à pleines dents. La mort est sans doute semblable à la naissance : elle ouvre à un monde nouveau. »

C'est vrai qu'il faut apprendre à vivre avec notre douleur, apprendre à vivre en son absence, se réajuster dans un environnement qui n'est plus tout à fait le même, où il manque un chaînon important. Je pourrais plutôt dire qu'il y manque un chaînon palpable, parce que Jean-François est encore présent en nous, il est là.

Le combat est nécessaire. Quelquefois, je me sens épuisée, vidée de toutes ressources, prête à abandonner, fatiguée de me battre. Pourquoi je continue ? Je ne sais pas. Est-ce l'instinct de survie ?

Malgré tout cela, je garde espoir de retrouver la paix intérieure, la sérénité nécessaire à tout bonheur. La douleur reste mais elle est moins vive. Ça fait encore mal d'embrasser seulement un enfant à l'heure d'aller au lit et au réveil.

La mort de Jean-François ne fait que renforcer l'idée que j'ai de la vie : tout est relatif, il faut profiter du moment présent parce que le destin ou je ne sais quoi se charge du reste. Je me rends compte que je ne suis pas toute-puissante, que la vie de nos enfants est bien fragile, malgré l'amour, l'attention, les soins et la sécurité dont nous les entourons.

Printemps 1988.

Et comme je vous comprends

par
Normand Larivière

JULIE

Francis Larivière

JULIE LARIVIÈRE
23 juillet 1978 — 5 juillet 1986
Décédée d'un accident
à l'âge de 8 ans.
« De 8 à 18 mois après. »

> « Il y a quelque chose de brisé
> au plus profond de moi-même...
> Et comme je vous comprends. »
> Lucie Larivière.

Vos réactions sont normales. Si j'écris tous ces mots, c'est dans le seul espoir de vous démontrer que les réactions que vous vivez ou que vous vivrez pendant votre deuil sont normales.

Je suis votre double, comme tout parent endeuillé. Nous devons tous passer par les mêmes étapes et réactions. Peut-être que pour chaque individu il y a des variantes, mais le fond reste le même.

Si, par ces quelques lignes, je peux rassurer un seul d'entre vous, je trouverai une raison positive à la mort de Julie. Elle ne sera pas décédée pour rien.

Choc

Le 5 juillet 1985, vers 10 h, ce fut le choc de ma vie. Quand je suis arrivé sur les lieux de l'accident de ma petite Julie, mon être a cessé d'exister. Mon corps a été transformé en un amas de chair prêt à vomir toute l'horreur qui se présentait sous mes yeux. POURQUOI ? La vision de cet être que j'aime plus que moi-même, inanimé sur le sol, m'a, en une fraction de seconde, arraché le cœur et précipité dans les ténèbres les plus profondes. La Terre venait d'arrêter de tourner, l'existence était transformée en cauchemar. Comme je l'ai souvent dit, il n'y a pas de mots qui puissent exprimer cette grande douleur. Ma propre mort sera une douceur comparativement à cette souffrance. Une seule chose me frappe aujourd'hui lorsque je pense à ce moment : j'ai hurlé le nom de ma petite Julie, les yeux rivés au ciel, comme si je sentais déjà ma fille adorée partie vers un autre monde. J'ai senti dans le plus profond de mon être que je devais lui dire adieu. JULIE ! JULIE ! Combien de fois ai-je crié son nom ?

Le cauchemar

Certaines scènes horribles qui entourent la période du deuil lui-même apparaissent spontanément dans mon esprit durant les premières semaines. Je ne les cherche pas. Elles me trouvent toujours et cela sans avertissement. Au début du deuil, elles sont très fréquentes et elles font très mal. La panique est reine et maîtresse durant ces moments.

Nous sommes très angoissés et inquiets face à ce qui nous arrive. Ah non ! pas encore cette torture ! Certains parents endeuillés nous disent qu'avec le temps ces scènes horribles s'effacent pour ne laisser la place qu'aux bons souvenirs de notre enfant. J'espère y arriver un jour.

La culpabilité

Nous avons tous une forme de culpabilité face à la mort de notre enfant. « Pourquoi ne suis-je pas parti le matin de l'accident au lieu de la veille ? » Autant de « si » interminables et de culpabilisation qui vous rongent face à ce destin que l'on ne peut changer.

Aujourd'hui, je comprends que l'on ne peut changer quoi que ce soit ; on n'est pas responsable ni coupable de la maladie ou de l'accident de son enfant.

Pour moi, la culpabilité est un sentiment horrible à supporter car on met en doute sa responsabilité envers son enfant. En d'autres mots, comment se fait-il que je n'aie pas pu empêcher cette tragédie ? Car c'était mon devoir de parent de veiller sur mon enfant.

On se voit comme un parent irresponsable et cela fait très mal.

La culpabilité peut apparaître sous différentes formes. On peut se sentir coupable d'un refus passé vis-à-vis de son enfant. Pourquoi l'avoir privé de telle ou telle chose ? Car aujourd'hui il ne peut plus en profiter. Demandez-vous : « Si mon enfant n'était pas mort, me sentirais-je coupable de ce refus ? »

Nous sommes tous victimes d'un destin que nous voudrions changer. Maintenant, il faut apprendre à vivre sans son enfant et sans se sentir coupable.

La douleur physique

Mon corps en a pris un dur coup. J'ai vieilli de dix ans en l'espace de quelques jours. J'ai dû endurer de violents spasmes musculaires lombaires pendant plusieurs semaines. Même des narcotiques n'ont pu contrôler efficacement ces douleurs physiques. J'ai souffert dans mon corps et dans mon âme. Je n'oublierai jamais Julie. J'espère que je n'ai pas souffert pour rien.

La douleur mentale

Au début, cette douleur est insupportable. On dirait que tout notre être va exploser comme dans une réaction atomique en chaîne. La vie perd tout son sens. Je me suis demandé : « Qu'est-ce qu'on fait sur cette fichue terre ? Pourquoi cette vie ? Pourquoi cette injustice ? Pourquoi tant d'amour perdu ? »

J'ai pensé au suicide une seule fois, mais, dans mon cas, je peux vous dire que c'est une fois de trop.

Je vois l'erreur monumentale que j'aurais faite car aujourd'hui j'ai retrouvé l'amour que j'avais pour Lucie et Francis. Cette naissance de notre troisième enfant n'aurait jamais eu lieu. Voilà autant de constatations concernant un geste non accompli. Il faut suivre notre destin, si difficile soit-il à supporter.

Le temps

Quelle horreur au début, car le temps est insupportable et d'une lenteur indescriptible. On pense que cela ne finira jamais. Chaque jour semble une éternité dans cet enfer. Combien de gens nous disent qu'avec le temps tout finira par s'arranger ! Ne me parlez pas du temps, mais parlez-moi plutôt de votre compassion face à ce que je vis. Aujourd'hui, avec un recul, je vis le moment présent et rien d'autre, car si je retourne dans le temps, par rapport au décès de Julie, cela me bouleverse et me touche profondément.

La vulnérabilité

Après le décès de Julie, la peur s'est emparée de moi. Maintenant que ce malheur m'est arrivé, il n'est pas impossible que cela puisse se reproduire. Je suis devenu fragile et incertain face à l'avenir. Ma certitude est tombée en ruine. Maintenant, parler d'avenir à long terme est très difficile car je sais que le lendemain est inconnu et imprévisible.

Par contre, cette vulnérabilité a un côté positif. La souffrance que j'ai vécue et que je vis encore m'a ouvert les yeux face à d'autres parents endeuillés. Comme je les comprends. Je suis donc prêt à leur donner mon réconfort, ma compassion. Leur douleur me rend triste mais cela me rapproche d'eux. Je les aime et ils ont une place dans mon cœur.

La jalousie

On est jaloux du bonheur des autres. Pourquoi ont-ils tous leurs enfants et pas nous ?

Moi, je m'occupais de Julie et de Francis avec cœur, et voilà que Julie décède. POURQUOI ? Il y a tellement d'enfants dans la misère.

On est jaloux du bonheur des autres car cela fait mal. C'est comme du vinaigre sur une plaie vive. Quoi faire ?

Essayons le moins possible de nous troubler avec ces situations qui se répètent souvent après le décès de notre enfant.

Facile à dire mais pas facile à faire. Dans ces moments difficiles, Julie, aide-moi.

La tristesse

Pendant les premiers jours du deuil de mon enfant, ce sentiment n'existait pas car la douleur était prépondérante. Aujourd'hui, après un an de deuil, elle a pris place tout à fait inconsciemment. Au plus profond de mon être, la tristesse est là. Si on me regarde évoluer de l'extérieur, tout semble être revenu à la normale, mais la tristesse m'empêche d'être complètement heureux. Il y a comme un ressort brisé à l'intérieur de moi. À partir de ce fait, le mécanisme du bonheur parfait est déréglé.

Si un jour j'arrive à changer ce sentiment de tristesse en un doux souvenir des moments heureux, j'aurai grandi en moi. Julie, je vais avoir énormément besoin de ton aide.

La colère

C'est un sentiment destructeur, mais impossible à contrôler face à cette injustice humaine. J'ai pris conscience que nous vivons dans un monde imparfait : accidents, maladies, pauvreté, erreurs humaines.

Dans l'angoisse profonde du deuil, la colère m'a presque détruit. J'en voulais tellement au monde dans lequel on vit. Cette colère, alimentée par l'incompréhension de ce monde, a failli détruire l'amour que j'avais pour Lucie et Francis.

Aujourd'hui, je le dis avec une conviction profonde : j'aime les échanges humains mais pas la vie imparfaite que nous vivons.

Mon regard se tourne vers la vie après la vie. C'est une lumière dans cette noirceur. La vie après la vie est sûrement un monde exempt de toute injustice, un endroit où l'amour règne en tout temps.

Les imprévus

Quels sont ces imprévus ? La rencontre inattendue d'une amie de Julie. Une ballerine ou une danseuse de patin artistique à la télé (espoir de Julie). Une chanson à la radio : « C'est pas facile... », qui parle de la mort d'un enfant. Sa céréale préférée au supermarché. Trouver une lettre de Julie un an après son décès. Francis qui a le même professeur cette année...

La liste pourrait être encore plus longue. Je suis certain qu'elle n'est pas finie et qu'elle ne finira jamais. Tout ce qui me rappellera Julie allumera en moi un sentiment de tristesse et de peine comme si elle avait encore droit aujourd'hui à ces choses qu'elle n'a plus. C'est difficile d'accepter que notre enfant n'ait plus le droit de vivre le moment présent.

Pourquoi cette amie est-elle là et pas Julie ? La situation présente nous rappelle avec cruauté la perte de notre enfant. Cela fait mal mais il faut vivre ces moments même s'ils sont difficiles.

J'espère qu'un jour, autant pour vous que pour moi, lorsque se présentera une telle situation, celle-ci réveillera un sentiment de doux souvenir. Croyez-moi, ce n'est pas encore le cas, mais je le souhaite de tout cœur.

Le souvenir

Au moment où notre enfant meurt, nous commençons déjà à vivre avec les souvenirs. Au début, ces souvenirs sont d'une douleur indescriptible. Cela fait mal de voir sa chambre, ses photos, son linge, son école, sa meilleure amie. Tous ces souvenirs nous lancent en pleine figure cette réalité cruelle de la mort de notre enfant. Aujourd'hui, après un an et demi de deuil, toutes les choses personnelles de Julie que j'ai gardées me sont très précieuses. Lorsque je les regarde, elles provoquent chez moi une certaine tristesse mais non un chavirement total comme au début.

Certains parents endeuillés nous ont affirmé qu'avec le temps ces souvenirs apportent bonheur et paix intérieure. Croyez-moi, je ne suis pas encore rendu là, mais c'est l'état que je vous souhaite et que j'espère atteindre.

J'ai une dernière chose à vous dire. Pour moi, chaque parent endeuillé est unique. À partir de ce fait, je crois que chaque parent doit composer à son rythme personnel. Il est le seul à savoir ce qu'il veut garder ou pas. Votre intuition personnelle vous dira aussi quand vous vous sentirez capable de regarder ou pas ces souvenirs. Votre cœur vous le dira.

À ceux qui vous disent que ce n'est pas bon de garder ces souvenirs car ils nous font mal, je n'ai qu'une seule chose à dire : « C'est tout ce qui nous reste de notre enfant tant aimé. »

Fêtes, anniversaires, saisons

Durant la première année, ces moments sont difficiles à passer. Ils représentent intensément ce que l'on a perdu. Noël est là, Julie n'y est plus. Comme elle serait contente de voir encore Noël !

Quoi faire ? Vous ne pouvez pas éviter ces fêtes et ces anniversaires. Respectez-vous. Vivez-les à votre façon et à votre rythme. Occupez-vous de vous-mêmes. Ne laissez pas les autres choisir pour vous comment vous devez vivre ces moments difficiles.

Votre conscience est votre meilleure conseillère à ce moment. C'est elle qui vous permettra le plus de vivre en paix ces moments importants.

L'inacceptable

À ceux qui vous disent que, pendant les années que votre enfant a vécu, il a été heureux et comblé, je réponds : « Seriez-vous prêt à accepter de perdre votre enfant et de le priver de toutes ces années d'expériences terrestres ? » D'autres parents endeuillés ont déjà dit : « Nous n'accepterons jamais la mort de notre enfant, nous allons nous y résigner avec le temps. »

Acceptation ! Quel mot horrible dans ma tête. Je suis incapable de l'assimiler. La seule résignation possible est le fait accompli que l'on ne peut changer. Accepter la mort de son enfant, c'est impossible. Pour moi, il y a une forme d'acceptation qui est horrible à supporter. Je ne peux admettre que Julie ait perdu dans sa vie tant de joies et d'ambitions. Elle a été violée par le destin. Comme elle aurait été contente et fière de vivre !

Le seul miracle qui pourrait me faire accepter cette injustice humaine serait la certitude que mon enfant soit comblée et heureuse d'une façon illimitée dans ce monde de l'au-delà. Dieu seul sait que j'attends encore cette révélation. Je prie souvent le soir pour qu'il me laisse entrevoir cette vie éternelle afin de combler ce refus d'acceptation. Il a dit : « Frappez, on vous ouvrira. » Je frapperai jusqu'à ce qu'une réponse arrive. Voilà mon seul espoir.

L'isolement

Chaque personne est unique au monde, avec son caractère propre. Ainsi, chaque parent vit son deuil selon son évolution. À partir de ce fait, notre esprit vit son deuil intensément et seul. On peut l'exprimer soit verbalement, soit par écrit, ou le partager avec son épouse ou d'autres parents endeuillés. Il n'en reste pas moins que toute l'évolution se passe à l'intérieur de notre être et souvent dans l'isolement et la solitude.

Voilà une rançon difficile à supporter car l'isolement inconscient qu'on se donne souvent est lourd à porter. Heureusement, le partage avec d'autres parents endeuillés me permet de rompre cette solitude intérieure.

La solitude peut être imposée par les réactions de notre entourage ou de la société en général. Je m'explique en donnant ici différentes phrases que l'on entend trop souvent : « La vie continue, tu dois tourner la page. » « Tu pleures encore ! » « Il faut accepter, c'est la vie. » On nous culpabilise presque de vivre encore notre deuil. Nous dérangeons. Nous nous isolons rapidement de cet entourage peu compatissant.

La solitude peut nous être imposée par la loi du silence. Les gens qui nous entourent, de peur de nous faire mal, adoptent cette loi. On nous parle de tout sauf du deuil de notre enfant. Pourtant, nous n'attendons que cela. Je l'ai souvent dit : « La seule chose qui me reste, c'est le droit d'en parler. » Pour moi, ce serait un deuxième deuil. Je m'y refuse. Pour rompre cette solitude, il faut s'entourer de gens qui sont prêts à partager. Quand vous trouverez cette personne précieuse, gardez-la car vous aurez découvert un trésor.

Le partage du deuil

Le partage du deuil de notre enfant est la première lumière qui apparaît au lointain dans cette noirceur interminable. Heureusement, sur cette terre, il y a des gens qui sont prêts à donner leur compassion. Voilà pour moi un message d'amour et d'espoir. Soyez conscient que le seul droit qui vous reste après la mort de votre enfant, c'est d'en parler. Le partage est une réconciliation avec la vie. Ne laissez pas passer cette occasion unique de nouer des amitiés profondes. Ma sage mère de 78 ans m'a dit : « Regarde autour de toi. » Aujourd'hui, je comprends ce précieux message. L'aide est autour de nous, mais il faut la voir et la trouver, même quand le bateau s'en va à la dérive.

Le message d'espoir que j'ai le goût de vous donner est le suivant : « Ensemble nous allons nous soutenir à travers cette épreuve même si la vérité et les réponses aux pourquoi interminables nous échappent ; prenez le temps qu'il vous faut, évoluez à votre rythme, mais partagez, c'est très important. »

Le travail

Le travail est très difficile à accomplir au début du deuil. Nous sommes comme des automates, nous faisons tout mécaniquement. Nous sommes placés devant une lutte où souvent l'indifférence nous envahit. Même s'il est mal fait, difficile à réaliser ou sans valeur, le travail occupe notre esprit et il nous empêche d'être submergé par le deuil et de sombrer dans la douleur. Chaque jour de travail représente une victoire.

Le bonheur

Pour moi, le vrai bonheur n'est plus possible d'une façon complète. Même dans les moments de joie intense, il y aura toujours cette croix.

Je tiens à vous dire qu'il y a moyen de reprendre goût à la vie, mais, au plus profond de moi-même, cette brisure mentale a laissé des traces pour la vie. Par contre, aujourd'hui j'apprécie tous les petits bonheurs que je vis avec mon épouse et mes enfants, car je sais qu'ils peuvent avoir une fin brutale et imprévisible.

Les valeurs

Mes valeurs personnelles sont complètement changées. Je n'attache plus d'importance aux choses matérielles. Mes vraies valeurs se rapportent à mes proches : mon épouse Lucie et mes enfants. Maintenant, mes amis sont des gens qui ont de la profondeur. Je comprends aujourd'hui que la souffrance peut faire mal et que la seule façon de la maîtriser, c'est le partage humain. Avec le temps qu'il me reste à vivre, je chercherai à approfondir ces valeurs. Voilà ma force.

Le choix

Durant les premiers mois après la mort de notre enfant, tout notre être est emporté dans la souffrance. Nous sommes incapables d'une action quelconque. Étant donné ce fait, parler de choix est chose facile à dire mais plus difficile à réaliser.

Aujourd'hui, par contre, j'ai décidé de vivre et d'être joyeux, mais j'ai aussi décidé en même temps de vivre mon deuil jusqu'à la fin, si fin il y a.

La douleur ne dominera plus toutes mes pensées. Mais quand elle se présentera d'une façon imprévue, elle sera mienne et uniquement mienne. Elle me rappellera tout l'amour que j'ai encore pour Julie.

Le choix important que je souhaite à tout parent endeuillé, c'est que son deuil soit actif et non passif. Il ne faut pas que votre deuil vous étouffe à jamais. Il ne doit pas vous lier dans la douleur et l'inaction. La recherche d'une action personnelle après les moments difficiles du début est un premier pas vers la renaissance.

Il est bon et doux de me voir renaître à la vie. Mais cette naissance est très difficile à accomplir car je dois franchir beaucoup d'étapes douloureuses. Mon accouchement sera terminé quand j'aurai tout dit ou encore quand j'aurai trouvé une certaine paix intérieure. Cela risque d'être long.

On peut comparer le deuil à un accouchement. Lorsque le travail est commencé, on doit aller jusqu'au bout.

La mort

La mort ne me fait plus peur. Elle fait partie de ma vie comme une personne que je connais. Elle ne revêt plus l'aspect d'un pur étranger qui me fait peur et que je fuis. Elle s'est assise à mes côtés et elle m'a tout dévoilé sur les sentiments qui l'entourent. Sa présence me rappellera souvent que je ne suis pas éternel.

Le décès de Julie m'a apporté une nouvelle dimension de la mort. Je n'ai plus en moi seulement la crainte de la mort, mais aussi l'espoir d'un monde inconnu. C'est comme si quelqu'un m'attendait. Je ne serai pas seul. Un jour, nous nous reposerons ensemble dans la paix. Quelle paix ? Dieu seul le sait. Mais pour moi il y en a une. Je vous jure que cela fait du bien d'éprouver un tel sentiment. C'est comme une petite lumière d'espoir qui pointe à l'horizon.

Je préfère vivre cela que d'être dans la noirceur totale.

Le mystère de la mort

La mort de notre enfant est d'une cruauté indescriptible mais en même temps elle suscite une inquiétude vis-à-vis de la vie après la vie. Combien de questions sont sans réponses ! Souvent je me suis interrogé ainsi : « Est-elle vraiment heureuse ? Est-ce qu'elle nous voit encore ? Peut-elle vraiment nous aider dans notre douleur ? A-t-elle de la peine comme nous ? A-t-elle encore besoin de nous ? À quel bonheur a-t-elle droit et sous quelle forme ? »

Voilà autant de questions qui peuvent harceler notre esprit. Dans des périodes d'incertitude profonde, j'ose à peine penser à son petit corps qui repose en paix au cimetière. Mon Dieu, il y a encore beaucoup de travail à faire pour que ma foi ne soit plus ébranlable.

La seule chose dont je suis certain en ce moment est la suivante : Julie est ma complice de vie jusqu'à ma fin. Si on pouvait avoir une révélation de cette vie après la vie, quelle paix intérieure on trouverait !

Julie

Il n'y a pas de mots pour décrire mon amour pour toi. Tu seras toujours ma petite fille adorée. Chaque jour, je demande ton aide. Ton absence physique est toujours difficile à supporter. Comme je l'ai souvent dit, j'aurais donné ma vie pour toi. Mais aujourd'hui je sais que je ne suis pas le maître de nos destinées. Cependant, un jour, ma destinée retrouvera la tienne et nous serons réunis. Je t'aime plus que moi-même.

Papa.

Jade, une continuité

Le 6 novembre 1987 à 4 h 08 est née la sœur de Julie. Elle est mon troisième enfant d'amour. C'est l'enfant de l'espoir. Ainsi la vie peut encore nous apporter des joies intenses malgré le grand malheur du décès de Julie.

Jade, ma « poupoune » adorée, tu es un baume de bonheur illimité sur cette vie difficile qui a été et qui est encore pour maman et papa après le décès de ta grande sœur Julie. Je suis certain que Julie veillera sur toi toute ta vie, même dans les moments difficiles que tu auras à traverser.

Je te promets, Julie, de veiller sur ta petite sœur et de lui apporter tendresse et amour. Je lui donnerai tout ce que je n'ai pu t'apporter à cause de cette séparation cruelle et brutale. L'amour perdu pour toi, Julie, je vais le partager avec Francis et Jade jusqu'à la fin de mes jours. Même si je suis croyant, pour moi la naissance de Jade est une victoire sur la mort terrestre. Julie, je te le promets, Jade saura un jour quelle grande sœur formidable tu es.

Aujourd'hui, je le dis ouvertement, je suis l'heureux père de trois beaux enfants : Julie, ma grande, Francis, mon garçon de toujours, et Jade, ma fille de l'espoir. Merci, mon Dieu.

Julie, tu es unique dans mon cœur au même titre que Francis et Jade.

Champagne, lavande et magenta

par
Marcel Kopp

Je voudrais faire cette chanson

Yves Duteil.

PIERRE-ALAIN

PIERRE-ALAIN KOPP
28 avril — 1er décembre 1980
Mort d'une tumeur cérébrale
à l'âge de 10 ans.
« Aujourd'hui, neuf ans après. »

Champagne, lavande et magenta

Champagne

Le bouchon vole dans les rideaux ; la mousse déborde de nos verres : Ursula attend... Nous allons attendre... Un enfant nous est donné. Un peu de confusion, un grand bonheur — débordant. Lors de nos promenades dans les champs et les bois, nous écoutons le vent, les oiseaux, nous questionnons les fleurs, les baies des sureaux, les églantines, le ruisseau, les roseaux, les rochers. C'est l'idée de « Pierre-Alain » qui nous vient.

Peindre. Peindre « la chambre des enfants ». Des couleurs pour nos enfants. Les pastels, ça cadre avec nos images d'enfance. C'est doux, c'est pur. Les meubles en bois brut, nous les peindrons nous-mêmes ; des couleurs vives, entières, solides. Mais les parois seront pastel. Chacune ouverte sur un autre monde. Une paroi sera crème, plus exactement — la boîte de peinture le dit — « champagne ».

Rhubarbe. Que c'est astringent ! Mais donnez-lui des œufs, du miel, vanille et muscade ; vous l'apprivoisez, vous en faites un délice... C'était un grand beau dimanche d'avril. Nous avions exploré les recoins et les collines d'un parc régional. Le soir, Ursula avait cuit une tarte à la rhubarbe. Un délice, j'ai dit... Mais le lendemain, elle m'appelle au travail : maux d'estomac.

« La tarte trop acide », je suggère. Elle rappelle : spasmes périodiques, c'est notre Pierre-Alain ! Arrivée en maternité, passages d'un service au suivant : voici notre Pierre-Alain — dans nos bras. Ne le serrez donc pas si fort ; il est si petit ! Un peu de confusion, un grand bonheur — débordant.

Le lendemain, le champagne débordait pour mes collègues de travail.

Lavande

L'odeur de la peau de mon bébé. La peau moite d'un bébé. L'odeur.

Lavande séchant en bouquets dans les armoires de ma grand-mère. Je m'y enfermais pour m'enfoncer dans l'odeur, pour m'immerger, pour nager dans l'odeur, pour vivre dans un autre pays.

Mon bébé dans les bras, c'est tout un monde. C'est un autre pays, un autre horizon, pas encore bien défini, comme ce pastel « lavande » de la paroi derrière le petit lit. Je l'avais dilué un peu : il fallait qu'il devienne « transparent ».

« Soleil. Déjà ? Oh ! » Comme tout parent pour son premier-né, je m'émerveillais des progrès de notre Pierre-Alain. Ses bons mots prenaient des proportions et des significations grandioses. Ils nous reliaient à un monde secret, dévoilé petit à petit. À travers cet enfant, je touchais à une sensibilité émergeante, baignant dans la simplicité. Un bain de lavande. Avec hésitation, avec respect, grevé d'erreurs aussi, je touchais à ce trésor de relations simples, et j'y imprimais les mots de notre monde. C'était le matin au déjeuner. Je m'étonnais de la clarté du ciel, et je dis : « Le soleil est déjà haut. » Pierre-Alain se retourne en trois mouvements : « Soleil. Déjà ? Oh ! » Trois mots distincts, lancés comme une harangue au théâtre. La musique de sa voix est inimitable. Elle vient d'ailleurs. Combien de fois n'avons-nous pas redemandé son « théâtre du Soleil » ! Maintenant, nous le revivons encore, en rêve, en désir, en le racontant à nos amis.

« Anne-Claire est mon petit dinosaure. »

Le corps de mon enfant est bon chaud.

Le cœur d'un enfant bat vite. Son horloge est accélérée. À 3 ans, voici notre Pierre-Alain avec son bébé dans les bras, son petit trésor de lavande bien à lui. L'idée d'une « Anne-Claire » lui est venue, nous est venue, par nos jeux avec une poupée aux cheveux platine dans son berceau d'osier. Point un jeu pour Pierre-Alain : c'est du sérieux, c'est la vie même. Notre fierté de parents pour notre fille est éclipsée par la fierté du frère pour sa sœur. « Anne-Claire est mon petit dinosaure. » C'est ici l'une des premières phrases qu'il consigna dans son cahier d'écriture. Cet âge est fasciné par le fantastique. À 10 ans, Pierre-Alain me dit que, plus tard, il étudierait « les choses du vieux temps ».

Ah, ces marchés de Provence ! Ça sent bon le thym et la lavande, chante Gilbert Bécaud.

Moi aussi, je vais vous en faire, une chanson...

Magenta

Un quart de tour à droite dans la chambre des enfants et vous faites face au mur magenta. « Magenta », c'est ce qu'indiquait l'étiquette de la peinture. Ce magenta-là, c'est un pastel rose, avec des soupçons de bleu et d'orange. Magenta, pourtant — ça me rappelle l'histoire : Magenta, Solférino, le sang, les blessés, les débuts de la Croix-Rouge. Pour moi, magenta donnerait plutôt dans les pourpres.

Mais voilà, nous sommes face au mur. Il faut se rendre à l'évidence. Faire face.

Magenta. Pierre-Alain est mort.

Pierre-Alain !

Magenta.

Ma—

Le monde chavire

Pierre-Alinet, Anne-Clairette.
Mon petit papa miniature. Tu es bien gentil.
Bonne idée ! Bonne journée !

Le son de sa voix, sa cadence, le ton chantant me perce la mémoire.

Me perce la mémoire.

Champagne. Lavande.

Magenta, lavande, magenta, champagne, ma—

Mon papa zombie !

Zombie.

La roue des couleurs tourne, confondant tout ; mais elle s'arrête pourtant par moments sur les souvenirs, sur les espoirs.

Ah, ces espoirs !

Espoirs.

Ne me parlez pas d'espoirs !

Kaléidoscope

J'ai la vision de vitraux, d'art et d'amour, patiemment assemblés, mais brisés dans un cataclysme, projetés dans un grand kaléidoscope.

Les images que j'y vois sont belles aussi, hautes en couleur, symétriques, structurées (mais d'une structure qui m'est étrangère). Les couleurs émiettées de mes vitraux, je les y retrouve côte à côte : lavande/champagne, champagne/magenta...

Associations, relations, symétries. Toutes sont là, semble-t-il, pour me tendre un message. Un message tout personnel, que je suis seul à voir, seul à comprendre. Oh ! non, pas encore.

Je ne comprends rien à ce qui m'arrive...

J'voulais pourtant vous faire une chanson...

C'est une chanson que j'voudrais vous faire.

Der Wind, der Wind / es isch so chalt / i cha nit / usega.

Lavande/champagne

Une chansonnette de Pierre-Alain, 4 ans et demi, en dialecte suisse.

Les images jaillissent pour disparaître aussitôt.

Comme un éclair qui claque, la chanson reparaît pour un instant :

130

Quel vent, quel vent / ...
Je crains que les souvenirs disparaissent à jamais.
J'attrape celui-ci au vol, espérant ainsi conjurer l'orage.
Je m'y raccroche.
En effet, le temps s'immobilise :
    Quel vent, quel vent / il fait si froid / je n'peux pas / sortir.
Cette accalmie, comme un moment d'amour, malheureusement
ne dure point. Derechef, nous sommes arrachés à notre mémoire
retrouvée.

La Trombe

Le vent siffle à mes oreilles.
La trombe m'engloutit de nouveau.
Attraper un souvenir au vol.
    Sortir pour jouer dehors, c'est ça qu'il chantait, mon Pierre-
    Alain. Mais maintenant je l'entends autrement :
        « Je ne peux plus en sortir. »
Le moral ne va pas fort. Je suis au fond d'un puits.
Conjurer l'orage.
    Ou bien serait-ce lui, Pierre-Alain, qui ne peut pas en sortir ?
    Sortir de quoi ?
    S'accrocher.
    Sortir du puits ?
    Sortir du tourbillon ?
    Sortir du kaléidoscope ?
    Sortir de mon esprit ?
Je ne m'en sors pas.
Ne nous est-il pas arrivé à tous, une fois ou l'autre, de nous
accrocher à un amour afin de conjurer une mauvaise situation ?
(Ne serait-ce que l'amour de notre travail.)

Kaléidoscope

Les débris de verre dansent, s'arrangent différemment, illustrant
un autre aspect de notre aventure.

Magenta/lavande

Pierre-Alain aimait les animaux. Depuis qu'il était petit, nous allions régulièrement au jardin zoologique. Une fois (il avait un an, et je le portais), nous nous étions trop approchés du bébé éléphant, qui alors a levé sa trompe vers la boîte rouge que tenait Pierre-Alain. Je me suis retiré brusquement, et nous avons roulé ensemble par terre.

Pierre-Alain prenait bien soin de ses animaux en peluche. Ils étaient aussi ses amis. Son ours s'appelle « l'Ours ». Tous ensemble, ce sont ses « Animaux ».

Nous allions aussi au parc des cerfs et au parc des bisons, à la ferme-exposition. En été, nous allions souvent camper dans la forêt. Le soir ou le matin tôt, les chevreuils approchaient. Pierre-Alain avait maintenant 3 ans. Sur son harmonica, il jouait des petits airs : celui-ci est pour Anne-Claire (petit bébé alors) ; celui-là est pour le chevreuil...

Il y a deux endroits précis où nous aimions repiquer notre tente. Nous y étions retournés. Pierre-Alain avait alors 8 ans. Le long de la rivière, nous avions aménagé une petite plage libre de cailloux, même si, plus tard, une crue allait tout dévaster. En explorant le long de l'eau, il découvrit dans un taillis le cadavre couché en boule d'un jeune chevreuil. La crue précédente l'avait délavé et recouvert en partie de sable fin. La peau avait été arrachée par endroits. Les dents branlaient. Pierre-Alain resta là un moment ; puis il vint me raconter pour que je vienne voir. Pourquoi ce jeune chevreuil était-il couché là ? Pourquoi le loup ne l'avait-il pas mangé ? Pourquoi était-il seul ?... Les animaux ne sont pas souvent malades. Quand ils tombent malades, ils guérissent assez rapidement. Mais quand ils sentent qu'ils ne guérissent pas, ils demandent aux autres chevreuils de continuer leur chemin, de les laisser seuls, et ils vont se préparer un coin bien tranquille et bien caché sous un buisson. Et ils meurent. Tranquillement. Pauvre chevreuil... si jeune...

Les enfants ont beaucoup reparlé du chevreuil ensemble. Hier encore, Anne-Claire me l'a remis en mémoire.

Cette accalmie-ci a duré plus longtemps. J'aime ça.
Espoir ?
Savoir voir une belle image dans son kaléidoscope.
C'est exactement ce que me dit le mot kal-eido-scope :
« Voir une belle image. »
Écouter les mots.
Belles images.
C'est ça que je veux mettre au registre,
même si les pages en sortent trempées de larmes.

Toute beauté est tragique,
car c'est le chant d'une privation.
— Léon Bloy

Léon Bloy savait. Il a vécu la mort de son jeune fils. Il a connu le dénuement : la destitution volontaire pour faire la part de son deuil, et le dénuement forcé par les circonstances. Il entendait le chant des sirènes, c'est-à-dire le chant des sourires, des beaux gestes, le choc que l'on reçoit lorsqu'on voit un autre engager sa propre personne, le chant des beaux souvenirs de ce qu'on voulait revivre « ensemble »...

Le chant — le choc.
L'amour a le pouvoir de suspendre le temps,
parce que, comme le temps, l'amour n'a ni forme ni
loi.
Vivre sans aimer, c'est mourir...
— André Mercier

C'est donc ça, une accalmie !
En effet, un moment d'amour.

Le Souffle de la colère

Nous élevons un enfant. Avec amour et diligence, nous veillons à y impartir continuité, conséquence, structure. (En même temps, nous faisons notre propre apprentissage ; consciencieusement, nous corrigeons nos erreurs.)

L'enfant nous est soufflé.

Et on s'attend que nous nous appliquions à autre chose, comme si c'était un outil qui s'était brisé dans nos mains.

> Ne crois-tu pas que tu t'es trop investi ?
> Porter ton deuil plus d'un mois ! Va, tu es malade ?
> Tu devrais tourner la page !
> Tes enfants ne te sont que prêtés !
> Regarde vers l'avenir !

Rrrrugir !

Un souffle de colère passe sur moi.

Ni champagne, ni lavande, ni magenta. Mais noir. Un noir gluant.

— Peut-être que, par le passé, les gens avaient plus grande maîtrise de soi, qu'ils savaient faire la part des choses, qu'ils savaient passer outre à leurs propres sentiments et se ré-investir promptement.

— Peut-être qu'à l'avenir les gens connaîtront mieux les limites de l'individualité, qu'ils accorderont à l'enfant son intégrité personnelle, sa propre vie et sa propre mort, et qu'ils sauront rapidement et de bon cœur célébrer sa vie telle qu'elle fut.

Mais moi, aujourd'hui, j'ai élevé mon enfant dans le présent, *dans mon temps,* de tout mon cœur et tout simplement. Je traite avec les relations telles que je les ai moi-même conçues et développées.

Ces gens qui essayent de me donner des conseils ne savent rien — ABSOLUMENT RIEN — de ma conception de ces relations. Je doute même qu'ils connaissent bien la leur propre ; car c'est précisément le deuil qui engage l'introspection nécessaire à cette connaissance. Alors, qu'ils se taisent !

Mais ce qui les intéresse surtout, c'est tout simplement que je rejoigne leur club et qu'ils me revoient danser comme auparavant.

Ils nous craignent. Ils craignent pour nous. Ils nous évitent ou nous prodiguent des conseils. Qu'ils nous écoutent plutôt et profitent de nos découvertes !

Car, si nous voulons parler, c'est parce que nous avons regardé au plus profond de nous-mêmes. Et nous y avons découvert des choses que nous n'avions jamais connues.

Un monde magique

La petite plante spéciale : Une petite plante pousse,
pousse, pousse. / Elle devient grande en été / Elle devient rousse en automne / et perd ses feuilles en hiver.
/ Et ça recommence au printemps.

L'oranger magique : Il y avait une fois un oranger
magique. Il était magique parce que c'était dans un
monde magique. Et chaque fois qu'on prenait une
orange, une autre revenait tout de suite à sa place. Et si
on plantait une orange, on recevait un oranger tout
plein d'oranges tout de suite ! Aimerais-tu en avoir
un ?

Les coccinelles : Une fois, des gens ont planté un pommier et un oranger. L'oranger a reçu des oranges après
un mois. Le pommier avait des pommes après deux
semaines ! Mais les gens ne savaient pas comment les
protéger contre les poux. Ils ont demandé à leurs amis.
Ceux-ci leur ont dit comment acheter des coccinelles
et les mettre sur les arbres. Alors, ils ont fait ce que
leurs amis leur avaient dit de faire, et ils ont reçu beaucoup de fruits ! Fin.

Trois extraits du cahier de compositions de Pierre-Alain à 8 ans.
Il a fallu que je vous les donne ici parce que le chapitre précédent
est rouspéteur, et j'ai horreur des rouspèteries. Il nous faudrait
connaître la magie nécessaire pour transformer les récrimina-
tions en beauté, en action positive. Il y a dans nos jeunes enfants
ce sens précieux d'un monde magique où l'idéal de beauté/bonté
devient l'action même. Sachons nous inspirer de nos enfants
malgré notre « course au bonheur » (qui devient trop souvent une
course aux honneurs... et aux fins de mois qui déchantent). Nos
enfants vivent plus près de la vérité. Nos enfants « savent » la
vie.

« Le plus pénible est de retrouver le regard de jeunes
enfants », m'écrivait mon amie Suzanne. C'est bien
parce que nous avons appris à lire cette vérité, cette
vie, dans leurs yeux.

Tu dois... Tu devrais...

Tu devrais tourner la page !
Il n'y a rien que je dois.
Il n'y a rien que je devrais.
Il y a certaines choses qui sont nécessaires.
Il y a certaines choses dont j'ai le projet.
Il y a certaines choses que je veux faire.
Il n'existe qu'un seul devoir :
celui d'aimer.
Aimer, prendre soin,
c'est bien la même chose.
J'en prendrai donc soin.
Il n'y a rien que je doive, sauf une exception, aimer.
C'est ici que tout se passe
et que se vivent nos vies.
Notre terre est dans l'espace.
Nous y sommes, nous aussi.
Il faudra bien un jour s'aimer...
— Georges Dor
Nous parlions de ces choses avec Pierre-Alain à 6 ou
7 ans.
Je disais : « Il n'y a rien que je doive, sauf prendre
soin. »
Plus tard, j'ai voulu changer : « ... sauf être gentil. »
Mais le pli était pris (déjà ?) ; et il préféra trouver ses
propres expressions pour ce qui semblait être notre
devoir incontestable :
— prendre soin d'être ami,
— prendre soin de son corps,
— prendre soin de son content...
Comment vous dirais-je ma chanson ?
C'est une chanson dont j'ai le projet.
J'entends encore la voix... comment les mots scandaient...
« Une chanson, c'est peu de chose... Mais... » ?
Mais je ne suis pas prêt. Pas encore.

* * *

C'est en dedans que ça se passe.

> *... avec des vagues de dunes pour arrêter les vagues*
> *Et de vagues rochers que les marées dépassent*
> *Et qui ont à jamais le cœur à marée basse,*
> *Avec infiniment de brumes à venir*
> *... écoutez-le tenir*
> *Le plat pays qui est le mien*
> — Jacques Brel

Kaléidoscope

> *Quand il pleut sur Paris, c'est qu'il est malheureux.*
> *Quand elle lui sourit, il met son habit bleu.*
> *Pour se faire pardonner, il offre un arc-en-ciel.*
> — Maurice Chevalier

Le premier « travail » de Pierre-Alain, à 3 ans, était d'aider à transvaser le vin que j'achetais en bonbonne. Il me présentait les cannettes et plaçait l'entonnoir. Je veillais au niveau. Il vissait le bouchon.

Pour servir le miel, nous avions un petit ours en matière plastique transparente que nous remplissions au besoin. Pierre-Alain aimait à remplir l'ours, car les ours aiment le miel. Maintenant, c'est lui qui veillait au niveau, « jusqu'aux oreilles ».

Au déjeuner, Anne-Claire dans sa chaise haute prenait place entre la fenêtre et la table. Un matin de soleil, Pierre-Alain se mit à danser sur sa chaise :

> « Anne-Claire est transparente !
> Anne-Claire est transparente ! »

Dans son excitation, il avait grand-peine à expliquer : la lumière traversant les oreilles d'Anne-Claire leur donnait une merveilleuse couleur de miel !

Champagne/lavande.

Grammaire

En ce village que je dis
Rien ne se dit qu'en paraboles
— Gilles Vigneault

Maintenant que je commence à vous la faire, cette chanson, je voudrais vous dire deux mots sur ma grammaire, sur l'usage que je compte que vous ferez de cette histoire. Car il faut qu'elle vous soit applicable. Sinon, pourquoi la raconter ? Évidemment, libre à vous !

Si quelque chanson ou poésie flotte autour de vous quand vous lisez cette composition, n'hésitez pas à l'attraper au vol (tel est l'objet du format peu orthodoxe que j'ai choisi) et à en faire un nouveau papillon.

(Ce titre constituait le dernier chapitre de mon histoire. Je l'ai avancé ici pour que vous soyez avertis de ce qui vous arrive par ce texte.)

> Quand les enfants apprenaient leur grammaire et devaient disséquer les phrases en leurs composantes, je leur demandais de les écrire en grand, puis « nous y découpions des fenêtres ». Alors nous remplacions le contenu des fenêtres par « les fenêtres du même nom » provenant d'autres phrases. Des choses cocasses en sortaient ; d'autres étaient franchement plus intéressantes.
>
> Nous avions un livret à anneaux dépeignant des personnages amusants : une ballerine, un homme-orchestre... Ils étaient tous coupés au cou et aux hanches : c'était pour qu'on y tourne des tiers de page. Que de rires pour le ramoneur en tutu coiffé d'un chapeau à sonnettes !

Libre à vous de découper des fenêtres dans mon texte. Remplacez-les par vos propres souvenirs, vos images, vos expériences. Arrangez-les de toutes les façons possibles. Finalement, effacez-nous de votre contexte. *Les faits et les personnes sont importants, oui. Mais les relations le sont plus encore.* Vos relations. Tournez et retournez votre kaléidoscope : découvrez vos propres belles images !

« J'ai deux amours, mon pays et Paris », chantait Joséphine Baker. Et moi de chanter :

« J'ai deux grimauds, Anne-Claire et Pierre-Alain. »

Le premier jour d'école d'Anne-Claire, Pierre-Alain la tenant par la main, ils s'en allaient fièrement. Derrière les rideaux de la fenêtre, un cœur fier se gonflait : « Mes deux grimauds ! »

Quand Charlemagne eut institué les premières écoles, les paysans se méfiaient de ces jeunes qui apprenaient à écrire. La grammaire semblait leur conférer des pouvoirs redoutables. C'est ainsi qu'on les appela « grimauds ». Ne les craignez pourtant pas. Faites comme eux. Écrivez !

> *Je voudrais faire cette chanson*
> *Pour faire chanter notre maison*
> — Yves Duteil

Un dernier mot : les refrains, les ritournelles :

Vous rencontrez dans le texte de curieuses associations, comme celle du ramoneur en tutu,

des répétitions de mots ou de phrases, comme « le découpage des fenêtres » et « les rideaux de la fenêtre »,

des retours de thèmes ou de symboles,

le souffle d'un symbole comme une senteur...

> *Une chanson, c'est peu de chose*
> *Mais quand ça se pose*
> *Au creux d'une oreille*
> *Ça reste là*
> *Allez savoir pourquoi*
> — Les Compagnons de la Chanson

...Ce sont les grimauds qui déposent sur notre chemin ces curiosités, pour que nous y réfléchissions, pour que nous y regardions à deux fois, pour que nous y regardions à deux fois et plus.

Tournons et retournons les images, les souvenirs, les mots, la grammaire, sous tous les angles,

sous tous les angles,

sous tous les angles,

jusqu'à ce que nous soyons confortables avec l'image qui nous reste,

l'image permanente.

Accepter.

« Quand pourras-tu accepter ? »

Voici une remarque propre à nous faire grand mal.

Dans ce cas, écoutons les mots plutôt que les gens.

Les mots eux-mêmes souvent nous viennent en aide.

Ici, « *accepter* » nous évite une peine si nous savons l'écouter : « *prendre envers et contre* » tout, encaisser, affronter, en prendre un coup.

Ainsi, nous pouvons honnêtement répondre : « J'AI accepté. Et comment ! »

N'ayons aucune crainte de redéfinir nos termes,

même si notre conviction finale diffère de celle du dictionnaire.

Après tout, c'est à nous de vivre avec notre expérience.

Le bonheur, c'est la santé du corps.

Mais c'est le deuil qui mûrit la force de l'âme.

Ma mémoire avait adapté, puis adopté, cette citation. J'en ai retrouvé l'original. Le voici, correctement :

Le bonheur seul est salutaire pour le corps, mais c'est le chagrin qui développe les forces de l'esprit.

— Proust

* * *

Le titre original de ce passage était *Conversation*. Oui, la forme de cette composition (sa grammaire) est en effet celle d'une conversation entre le souvenir et les émotions. Mais, en fin de compte, quand vous aurez substitué vos propres « fenêtres », ce texte deviendra une conversation avec vous.

C'est là mon but.

Quand je marche, je marche vers toi...

Quand je parle, je parle pour toi.

Je dis ton nom, je dis ta peine

et je dis que tu survis à peine...

140

Mais comme les mots sont fragiles !

Quand je chante, je deviens chanson.
Quand j'écris, je deviens poème.
Et quand je vous dis « je vous aime »,
Je deviens le verbe aimer
À tous les temps, à tous les temps, à tous les temps.
— Georges Dor

Savoir

Je repense à la mort du chevreuil (voir mon premier kaléidoscope) et la question se pose :
   Est-ce que nous nous préparions déjà ?
Et je suis précipité dans un remous :
    pressentiments.
Nous avons peine à articuler notre pensée, comme si c'était un péché... ou une forfanterie :
   notre enfant « savait ».
Magenta.
  Durant sa radiothérapie, Pierre-Alain était plein de courage et de patience envers lui-même. (Il en avait plus que moi.) Il savait que ses vomissements étaient « normaux », alors que moi je recherchais un « truc » pour qu'il puisse garder sa nourriture. À brûle-pourpoint, il me dit : « J'espère qu'Anne-Claire n'aura pas de problèmes. » Que n'ai-je su l'écouter ! Que n'ai-je su comprendre, parler avec lui ! Au contraire, je fus pris de peur et restai silencieux : il ne devait y avoir aucun doute que nous gagnerions ensemble la bataille de la rémission. Sans dire plus, Pierre-Alain, en bon fils, poursuivit le combat.
Regrets. Mais aussi fierté que mon garçon ait pu marcher dans ce grand pays qu'est l'intuition. Nombreux sont mes nouveaux amis, parents endeuillés aussi, qui m'ont parlé de l'intuition de leurs enfants.
  Mon pays ce n'est pas un pays c'est l'hiver...
  Mon chemin ce n'est pas un chemin c'est la neige...

Ma chanson ce n'est pas ma chanson c'est ma vie
C'est pour toi que je veux posséder mes hivers...
— Gilles Vigneault

Champagne.

Quelques heures avant la crise épileptique qui le jeta dans le coma, le mit aux soins intensifs, et aussi sur le lit de sa mort, Pierre-Alain me dit en se réveillant : « Comme tu es beau, Papa ! Tu es tout blanc ; tu flottes dans les nuages ! » Quelque explication médicale qu'on veuille bien me donner, je conserve ces mots précieusement, comme le dernier cadeau de mon fils : « Il savait. Il était témoin de son avenir. » Même si les circonstances font frémir, le motif central est précieux : du fond des détresses de la guerre ou d'un désastre, on sait trouver un geste, une parole, une lumière, un sentiment si beau qu'on ne l'oubliera jamais. Nos souvenirs les meilleurs restent gravés dans nos cœurs.

Il est pourtant sur terre de très humbles bonheurs...
— Jean-Villard Gilles

Lavande.

À six ans, les enfants savent en général à quoi « servent » les mamans, mais ils restent perplexes quant au rôle des papas. Quand je dus faire face à ce tribunal, j'éludai en fait la question en demandant :

À quoi servent les familles ?

Et j'en appris plus des enfants que de l'expérience elle-même !

« Ça sert à être gentil. »

« Ça sert à avoir la paix. »

Ça sert à aller promener, à patiner, à faire du ski, du vélo, de la planche à roulettes... »

Et les papas, alors, à quoi ça sert ?

« Je sais, je sais, moi,

s'écrie Anne-Claire dans une grande excitation,

ça sert à montrer l'équilibre ! »

Je garde ces mots comme un trésor.

Et j'ai besoin de puiser à ce trésor, car aujourd'hui Anne-Claire est adolescente : c'est elle maintenant qui sait, et mieux que moi !

J'étais jeune et je savais.
Maintenant, je sais.
Je sais qu' on n' sait jamais.
— Jean Gabin (à 60 ans)

Embrasser l'éternité

Aujourd'hui, neuf ans après... Décembre, de nouveau, bientôt Noël. Les lumières miniatures parcourent notre petite jungle d'intérieur, et la dernière en ligne éclaire l'étable de notre crèche faite de branches menues liées ensemble et d'écorces sur le toit, entourée de moutons, de leurs bergers et autres villageois, quelques-uns venus de Provence même. Voici, peut-être, le moment de vous raconter l'histoire de notre dernier arbre de Noël.

Nous avions cette année-là un petit sapin de Noël. Élégant, mais petit, À peine plus grand que Pierre-Alain qui avait 5 ans ; Anne-Claire avait 2 ans. Selon la tradition, nous y avions fixé des bougies de cire (sur des supports à pince spéciaux). Nous les allumions chaque soir et regardions danser les flammes tout en chantant quelques chansons : *Maison dans la plaine, L'Ours au village, C'est si simple d'aimer...* Et puis : Souffler les bougies ! Sauter au lit !

Au Nouvel An, que faire de l'arbre ? « Le ramener chez ses frères ! » Où donc ? « Dans la forêt, derrière chez Anne et Pascal ! » On installe donc l'arbre confortablement entre les enfants (Cet arbre-là avait acquis une personnalité !), et nous voici en route pour ces bois où les quatre enfants aimaient à jouer ensemble en été. Enfonçant dans la neige, nous choisissons une situation dominante pour notre arbre : les enfants lui souhaitent beaucoup d'oiseaux et d'écureuils. Je me surprends à lui faire, moi aussi, mes vœux de bonheur. Des échos de la *Pastorale* de Beethoven me soufflent par la tête comme un rêve : de nouveau, j'en apprenais plus en suivant l'inspiration des enfants que de la réalité même.

Ce fut notre dernier arbre de Noël à la maison. Depuis lors, la crèche que nous avons construite de branches fines et d'écorce de la forêt nous sert de ralliement annuel. Mais aussi, nous retournons un beau soir à la forêt. Nous choisissons un petit sapin ; nous y fixons quelques bougies, nous les allumons ; nous lui chantons quelques chansons : *Ô Tannenbaum, roi des forêts, Le Petit Tambourinaire, C'est si simple d'aimer...* Et nous rentrons à la maison, transis mais heureux.

Pascal suivit Pierre-Alain dans la mort deux ans après lui. Un choc. Comme les premières mesures de la *Toccata* de Bach, un choc venu d'ailleurs. De très loin. L'énigme n'en finit pas. Personne ne comprend. Anne quitta l'école et s'engagea comme tailleuse de pierres. Elle donne cœur à la pierre.

Aux obsèques de Pierre-Alain, j'ai appelé tous les enfants à moi. J'ai ouvert mes bras grands comme le monde, et j'ai serré les enfants. Longtemps. Une musique irrésistible me vibrait par la tête et par tout le corps. Un moment de « gloire » ? Sidéré, j'ai prolongé mon étreinte.

> *Une vie,*
> *comme une mélodie grattée doucement sur les cordes,*
> *est musique aux oreilles de qui l'entend chanter.*
> — Karen Howard

Aujourd'hui encore quand j'embrasse, surtout un enfant, je sens en moi comme un déclic. Je suis tout à coup ailleurs, dans un autre pays. Et je crains un peu de ne pas être là pour relâcher l'étreinte.

> *Laisse-moi t'entourer de mes bras,*
> *juste pour te serrer un peu—*
> *Juste pour un moment, s'il te plaît.*
> *Ça ne prendra qu'une seconde*
> *et je ne serrerai pas trop.*
> *J'aimerais seulement me rappeler—*
> *... C'était généreux de ta part*

de laisser la maman d'un autre
repasser sa mémoire sur ton compte.
— Fay Harden

Depuis que nous avons déménagé, nous avons perdu la trace de nombreux amis qui, eux aussi, ont déménagé. Mais quand je revois Krissy, étudiante infirmière aujourd'hui, ça prend plus qu'une seconde, et je serre fort. J'y gagne un moment d'éternité. Un « retour de gloire » ? Quand Mindy part pour un an en quête de trois langues d'ailleurs, je l'entoure de mes vœux, mais mon cœur se serre. Et je pense aussi à Matthieu, étudiant forestier, qui prend soin de l'âme des arbres de la forêt...

Dans chaque étreinte, cette mélodie irrésistible me revient comme au jour où il me semblait embrasser le monde.

C'est comme le goût de l'éternité ;
je l'aime profondément et complètement,
et c'est le seul amour qui me procure la paix,
une paix infinie.
— Romain Gary

Je me réveille parfois le matin avec ce goût sur les lèvres, mes bras enlacés fermement sur mes épaules :

Pascal, toi qui naviguais en planeur parmi les nuages, tu as trouvé une autre paix, infinie...

... Lauren, Maurice, Vicky, Johnny, Christine, Benoît, Laurie, Nicole, William, Marion, Max, Holly... J'écris vos noms. J'aime écrire vos noms, vous que je n'ai pas embrassés dans la vie mais qui me venez dans le kaléidoscope de cette musique éternelle.

Anne-Marie, je connais ton visage maintenant :

En me fermant les yeux
Je le devine au creux
Des nuages
J'ai dû fermer les yeux
J'aurais dû faire un nœud
Aux nuages
Le vent s'est retourné
Et la vie m'a soufflé
Ton visage

Je le redessine
Et le vent le ressouffle
Ton visage
— Jean-Pierre Ferland

Annie, nous te retrouverons « dans un ailleurs différent, plus belle, plus énergique, et plus super que le jour où tu nous as quittés ». C'est ça que ta maman nous parie. Toi qui, dans ton amour, avais connu la beauté du ciel, tu nous rassurais : « Moi, j'te laisserai pas, jamais. »

Vous, nos enfants, vous ne nous lâchez pas, en effet.
Car vous nous avez appris à embrasser l'éternité.

Connaître

J'ai passé en revue « savoir », dans son sens tout intuitif ou mystique. Il y a un autre « savoir », celui qui s'acquiert par l'étude et la compréhension théorique des événements, par l'assimilation des expériences d'autrui. Il y a aussi « connaître », un savoir intime acquis par l'expérience personnelle, par l'émotion, par le vécu. Et il y a aussi « pouvoir », le savoir-faire.

On ne connaît bien que les choses que l'on apprivoise...
— Saint-Exupéry

Nous jouissons du grand privilège de faire la distinction entre ces trois mots-concepts. Certains peuples n'ont qu'un seul mot passe-partout. Imaginez les malencontreuses équivoques, dites d'une manière, entendues d'une autre. Nous pouvons dire à un affligé que nous savons la profondeur de sa peine — mais assurément nous ne la connaissons pas. Nous pouvons lui dire : « Tu ne peux pas oublier », et nous lui ferons honneur. Mais quelqu'un venu d'ailleurs dirait, avec le même désir de compassion : « Tu ne sais pas oublier », et produirait un effet désastreux.

Ce n'est pas ce que tu dis qui compte,
c'est ce qui est entendu.

Je suis blessé quand on me répète : « Tes enfants ne t'appartiennent pas. » (On me cite même un passage magnifique de Khalil Gibran.) Je rétorque : « Ils m'appartiennent pour sûr ! Mais je ne crois pas les posséder. » Et on me dit que c'est bien la même chose. Eh bien NON ! Moi, je connais la différence, parce que j'ai vécu la perte. Eux pas !

J'en viens à proposer que l'affligé est grevé d'un autre fardeau, invisible : le devoir d'être généreux envers ceux qui croient savoir et ne connaissent pas, et qui, de plus, n'y peuvent rien, ces gens qui ajoutent à notre douleur sans le vouloir. Notre tâche est de restructurer leurs remarques de telle manière qu'ils soient confortables avec nous et que nous soyons confortables avec eux. C'est à nous de le faire — en plus de reconstruire notre propre vie.

Kaléidoscope

> *Il pleuvait fort sur la grand-route*
> *Ell' cheminait sans parapluie...*
> *Un p'tit coin d'parapluie*
> *Contre un coin d'paradis...*
> *Un p'tit coin d'paradis*
> *Contre un coin d'parapluie...*
> *Mais bêtement, même en orage,*
> *Les routes vont vers des pays ;*
> *Bientôt le sien fit un barrage*
> *À l'horizon de ma folie !*
> — Georges Brassens

Nous aimions nous promener dans un grand parc non loin de chez nous. Plusieurs vallons et un ruisselet qui, les jours de pluie, grossissait et cascadait sur les rochers. Pierre-Alain demandait alors pour aller « voir les chutes ». Serrés sous notre grand parapluie, nous chantions Brassens.

Les images de mon kaléidoscope maintenant sont accompagnées d'une musique lointaine, airs de carrousel, orgues de Barbarie. Ces souvenirs assourdis mais persistants contrastent avec des images plus réalistes. Un contraste curieux qui semble les soutenir. Trois images se chevauchent. Elles renaissent l'une de l'autre comme des échappées dans le blanc d'un brouillard ; elles vivent l'une dans l'autre. Je vous aurais décrit ces images plus tôt, mais je ne parvenais pas à les distinguer l'une de l'autre, surtout qu'alors les carrousels prenaient facilement le dessus.

Avec le temps et maints retours du cycle, je suis parvenu à isoler ces trois images et à les regarder en face :

— Je vois Anne-Claire qui pleure en serrant l'ours en peluche de Pierre-Alain : l'habit qu'elle lui avait cousu est déchiré, arraché...

— Je vois un cercle complet — complet et « beau » —, la vie d'un Pierre-Alain qui a comblé tous les vides, répondu à toutes les questions...

— Je vois une phrase, une phrase prononcée dans le brouillard : « Il ne mourut jamais »...

Lavande/champagne/magenta superposés : une sorte de blanc, un blanc de brouillard.

Ce sont là des messages tout personnels que je veux tâcher de vous expliquer en quelques mots :

— C'est vrai, c'est moi qui ai arraché l'habit. Père infâme que je suis ! Mais Anne-Claire, qui a 7 ans, cesse de pleurer. Elle reste consternée. Je viens de lui dire : « C'est l'Ours qui compte, pas l'habit. » C'est vrai que nous avons passé toute la nuit à l'hôpital et que maintenant je viens la chercher à la sortie de l'école. C'est vrai que j'ai conduit sans un mot. C'est vrai que ce n'est qu'à destination, dans la rue, quand elle serrait l'ours dévêtu, que je lui ai dit : « Pierre-Alain est mort. »

— Ce cercle, ce cercle *complet,* c'est contraire à toute ma rage et ma frustration, à ma colère que Pierre-Alain ait été frustré, bafoué, cambriolé. C'est vrai pourtant, il est là, ce cercle, « blanc et beau ». Dans sa dernière année, Pierre-Alain avait, c'est vrai, comblé bien des vides. Il a connu ses grand-parents, ses cousins, sa « grande famille » ; il a suivi l'école dans la langue maternelle — dans la même salle de classe qu'Ursula, avec son grand poêle de briques et de catelles — et il y a réussi ; il a parcouru le pays de notre jeunesse à nous les parents, il a connu les lieux et les personnes dont il avait entendu si souvent les noms ; il a voyagé par lui-même — il a bouclé la boucle. C'est vrai, c'est ainsi. C'est « beau ». Tant d'autres jeunes, et de moins jeunes, n'en ont pas eu autant.

— « Il ne mourut jamais. » Ce mois de semi-coma/coma que Pierre-Alain a subi, ces machines auxquelles on l'avait attaché, machines qui le traitaient comme une autre machine, c'est une image pénible à soutenir. Mais la phrase dans le brouillard me le dit, et c'est vrai : il n'y a pas un instant où il était en vie, et le suivant où il ne l'était plus. Finalement, il était mort ; mais il ne mourut jamais.

Ça fait beaucoup de mots pour les « quelques mots » que je vous avais promis. Mais je ne vous ai pas dit l'essentiel. (L'essentiel ne se dit pas avec des mots.) Pourtant, j'ai encore dû vous laisser des détails. Je vous demande de les écarter, et de n'y voir plus que ce qui reste, c'est-à-dire l'image permanente.

Ingéniérie

Dans ma jeunesse, j'avais reçu une carte de vœux portant le dessin d'une main tenant trois allumettes et m'invitant à tirer à la courte paille. (« Il était un petit navire... » Quelle terrible histoire !) C'étaient de vraies allumettes qui s'inséraient dans une fente de la carte en double épaisseur. Sous la fente, un petit volet était coupé et portait l'inscription : « Pour aider la chance. » Une incitation à l'ouvrir, à guigner, à s'informer, à écouter les témoins de l'avenir.

> *Même si parfois l'esprit laisse échapper les détails, les couleurs, les dates ou les lieux, le cœur a une mémoire infaillible. On ne risque donc rien à penser à autre chose, à permettre à notre esprit des idées, des projets qui comptent sans notre enfant qui est mort. La vie continue. Il viendra un moment quand votre monde tournera des heures et des jours sans vous rappeler à*

votre deuil. Mais votre amour est sauf, car LE CŒUR SE SOUVIENT, TOUJOURS.

— Sascha Wagner

Sascha nous assure : « Il viendra un moment quand votre monde tournera... » C'est triste à dire, mais on ne l'entend pas (ce témoin de notre avenir) quand on patauge au fond du puits.

Pourtant c'est vrai : « Le cœur se souvient. »

—Toujours ?

Là, je suis prêt à aider la chance un peu. J'ai préféré noter mes souvenirs, au moment même où ils me prenaient, sur n'importe quel bout de papier à portée de la main. Premièrement, ça me donnait quelque chose à faire avec ces fragments d'images brisées. Et plus tard, de trier et retrier ces feuillets, ces billets, ces papillons, ces trésors, ça continuait de m'occuper. Mais surtout, ça m'a positivement rassuré : « Je me souviens. »

Cet effort n'est point perdu, même si je m'aperçois, aujourd'hui encore, que mon cœur se souvient mieux encore que mes papiers. Par contre, j'ai appris confiance et patience ; car le cœur ne se souvient pas sur commande, mais seulement à l'appel d'un son, d'une vision, d'une odeur subtile ou inattendue. C'est quand je désire m'assurer que j'ai encore les choses bien en main que je vais regarder ma collection de papillons !

Olivier, où es-tu ? — Es-tu... — Es-tu...

Autour de la grande table du salon, nous complétons quelques pages de nos albums de timbres-poste. Les trains et les ponts pour Pierre-Alain, les bateaux pour Anne-Claire, les animaux, les fleurs, les papillons... Une petite histoire accompagne chaque timbre : amis lointains, grands voyages, horizons... et parfois une discussion « politique » pour justifier un contexte accueillant pour telle vignette seule portant à la fois une fleur et un papillon !

Champagne/lavande.

Les enfants autour de moi sur le divan. Un livre ouvert. Une petite poupée de bois, un petit ébouriffé nommé Baski, pas plus haut qu'une pomme, s'émerveille devant une boule de pissenlit en graine, recueille un escargot rayé, découvre deux œufs bleus dans un nid... Seul dans une clairière devant les imposants troncs dénudés, Baski appelle. L'écho lui répond. Quelle merveille ! « Car la forêt répète toujours ce qu'on lui crie. »

Autre épisode classique de l'enfant perdu dans la forêt : Olivier est parti à la recherche d'un renardeau dont la mère a été abattue par des chasseurs. Sa sœur Marina veut le rejoindre mais perd sa trace dans la neige. Toute seule, elle s'inquiète et appelle : « Olivier, où es-tu ? »

« Es-tu... » me revient de gauche ; « Es-tu... » à ma droite.

« Maintenant, raconte-nous l'histoire de la cloche d'Ursli ! » Ursli était monté au pâturage pour se procurer la plus grosse cloche qu'il voulait porter pour le festival du printemps. Mais il n'avait confié son secret à personne. Et le soir, tandis qu'il dort heureux au chalet de l'alpe parmi les écureuils, les chevreuils et les hiboux, sa famille éplorée parcourt le village avec des lanternes : « Ursli, où es-tu ? »

« Es-tu... », « Es-tu... », de gauche et de droite.

« Papa, papa. Fais-nous une histoire toute neuve ! » Champagne/magenta.

Pierre-Alain, où es-tu ? « Es-tu... »...

Pierre-Alain nous est venu comme une idée.

Il est redevenu une idée.

Il est — partout. Par tout.

« Est-ce que moi aussi je serai une idée ? »

Oui. Tu en es déjà une.

« Bonne idée ! »

« Bonne idée ! » était la manière de Pierre-Alain de montrer son enthousiasme pour la nouveauté. L'étincelle. L'esprit d'entreprise. L'empressement à participer à un nouvel effort. Ça me manque. Ça me manque.

Le bonheur est chose légère.
Il est là comme un feu brillant ;
mais peut-on saisir la lumière,
l'éclair, le feu, l'ombre ou le vent ?

Il est pourtant sur terre de très humbles bonheurs.
Ils sont là sous la main ; c'est de très humbles choses :
le parfum d'une rose, un beau regard humain.
C'est le souffle léger d'un enfant qui sommeille,
l'amitié qui veille et le pain partagé.
— Jean-Villard Gilles

Le Trésor

Pour les paysans de la fable, le trésor était de retourner la terre. Mon trésor ici est de retourner chaque souvenir. Si je manque de temps, j'en confie au papier juste un mot ou un titre, juste une ligne : une question, une expression, un sourire, un regard émerveillé, une farce, un clin d'œil espiègle... Le fonds des souvenirs reste inépuisable.

Il faut que je vous dise le plan original pour ce titre :

La page devait rester blanche.

(Page blanche, sauf le titre.)

Et, au dos, tout au fond de la page, j'aurais écrit : « Tout ce que j'ai dit n'est rien en comparaison avec *Le Trésor*. Comme pour la famille de la fable, le trésor est de creuser, de retourner la terre, c'est le fonds qui manque le moins. »

C'est tout.

* * *

Le fonds du cœur
au fond du cœur.

Il pleure dans mon cœur
Comme il pleut sur la ville
— Verlaine

La ville, fourmillante au soleil, morne sous la pluie. Solitude.

La pluie qui pleut sur mon pays
Je veux la dire à des amis
— Gilles Vigneault

152

Se souvenir seul, c'est son deuil à faire.
Se souvenir ensemble, quel soulagement !

> *On ne trouve d'arc-en-ciel*
> *qu'après la pluie ;*
> *on ne peut partager sa joie*
> *qu'après avoir essuyé sa peine.*
> — Auteur inconnu

La pluie d'abord, l'arc-en-ciel ensuite. Espoir.

La rime, le rythme, la sonorité des mots suggèrent des vérités inattendues. Alors on cherche plus loin. De les voir sous plusieurs angles à la fois nous permet d'aller plus au fond des choses, de les mieux cerner, de les mieux mouiller (de larmes), et de les mieux absorber. (« Mouiller une chose » porte aussi le sens de vaincre sa tension superficielle, vaincre ses défenses naturelles, l'aimer.)

> *C'est tellement mystérieux, le pays des larmes.*
> — Saint-Exupéry

Avoir macéré au fond du puits. Y avoir creusé même. Creusé un tunnel. Et quand nous émergeons de l'autre côté, nous nous apercevons que nous avançons sur un pont. Nous sommes reliés à un monde nouveau, un autre pays. Il y a quelque chose de plus que nous comprenons.

> Le tunnel — le pont.
> *Les vrais paradis sont les paradis qu'on a perdus.*
> *On ne guérit d'une souffrance qu'à condition de*
> *l'éprouver pleinement.*
> *Les liens entre un être et nous n'existent que dans*
> *notre pensée.*
> — Proust

On peut débattre de ces conclusions. Ce sont celles de Proust ; ce sont *ses* vérités. On peut ne pas y souscrire. Mais il a lutté pour y arriver. Comme nous pour *nos vérités*.

Et c'est une chanson interprétée par Renée Claude qui me revient :

> *Tu trouveras la paix dans ton cœur*
> *Et pas ailleurs, et pas ailleurs.*
> *La seule vraie tranquillité,*
> *Tu peux cesser de la chercher.*

Ce n'est qu'en toi
Qu'elle peut commencer.
Lavande.
...une chanson pour le chevreuil
...une chanson pour Anne-Claire
...une chanson pour l'écureuil
Si sa chanson doit durer, c'est à nous de la chanter.
— Auteur inconnu
Le temps qu'il fait sur mon pays...
Juste un mot ou un titre, juste une ligne : *Lignes de vie*.
C'est là l'un des titres d'essai sur mes papillons.
Le temps qu'il fait sur mon pays
Je veux le dire. Me faut le dire
Le temps qu'il fait sur mon pays
Il faut le dire à mes amis
— Gilles Vigneault

Bâtir la mémoire

Voici que l'autre jour un collègue à la cantine, me voyant mélanger avec prudence ma salade panachée, me conseille : « Tu pourrais bâtir ta salade différemment. » Et, après le repas, faisant le tour du bâtiment, me voici lancé dans une association de mots, d'idées et d'images !

« J'espère que vous vous bâtirez une belle mémoire de votre enfant. » Voici le souhait d'une jeune caissière grecque à mon amie Claire quand elle venait fermer le compte de son fils décédé.

Bâtir, bâter.
Construire, lier avec des cordes de baste.
Apprivoiser, c'est créer ces liens.
— Le renard au Petit Prince de Saint-Exupéry
Il me faut apprivoiser ma salade, ma confusion, mon tourbillon, apprivoiser mon deuil.
Il me faut retrouver et identifier les liens qui nous liaient ; il me faut les relier, les rétablir dans ma mémoire.

Allez demander à la pie
Allez demander au renard
— Gilles Vigneault

Je suis responsable pour toujours des liens que j'ai créés. C'est à moi de les préserver tels qu'ils me soient confortables, pour qu'ils me réconfortent.

Basta !

C'est une chanson que je veux vous faire...

J'ai cherché loin du monde
une étoile qui ressemble à la vérité.

C'est ici sur la terre
que l'on vit toutes les vies
qu'il faut s'aimer.

C'est ici que tout doit arriver.
Le ciel, c'est ici...
— Nicole Rieu
Champagne.

Champagne.

Reconstruire

C'est le sort de notre pensée que de toujours cons-
truire un drame, ou une dialectique, autour des choses
dont nous cherchons la compréhension. La suite dépend
de la manière de traiter le drame.
— André Mercier

Mercier, dans sa dialectique (que je cite libéralement ici), compare le temps à un miroir où se reflètent, compléments nécessaires l'un de l'autre, l'amour et la douleur. « L'amour est à l'être transcendant ce que la douleur est à l'être présent. Chaque douleur individuelle est considérée comme une désillusion, une déception, une blessure, une coupure dans le temps. Elle replonge l'âme dans le champ où elle voit le détail des choses, où elle s'apprête au combat, où elle se révolte, se cabre, se replie, pèse, spécule, réfléchit... bref, tout ce qui n'est pas verbe exprimant le don de soi. C'est comme l'image, la réflexion dans le miroir-temps, de la situation de l'amour qui, lui, suspend toutes les données de l'instant. »

Voici une description nouvelle du deuil, non comme « étapes » ni comme « cycles », mais comme « réflexions », au sens d'une partie de ping-pong !

> *Vingt fois sur le métier remettez votre ouvrage*
> — Boileau

Comme exercice, il est intéressant de réfléchir un moment au sens que *« Le temps te guérira »* prend dans l'optique de Mercier. En amour, on ignore le temps. Dans la douleur, le temps existe, et c'est là qu'on se cabre et qu'on spécule. Le temps sert de miroir entre deux éléments nécessaires. *« Le temps te guérira »* signifie donc : *« Je te souhaite le succès pour ta partie de ping-pong ! »* Mercier utilise partout ailleurs le terme composé *« douleur-temps »*.

> *Nous ne connaissons vraiment que ce que nous sommes obligés de recréer par la pensée, ce que nous cache la vie de tous les jours.*
> — Proust

Une des tâches de l'affligé, durant ces réflexions (ou cycles ou étapes), est de reconstituer pour lui-même une certaine harmonie, une « gestalt », un tout qui se tient, qui a forme, qui fonctionne, auquel on peut se fier. Il y va d'une « recherche de ce qui est essentiel — sans d'ailleurs savoir d'avance ce qui est essentiel et ce qui ne l'est pas ! Pour le savoir, il faut presque s'exercer à reconnaître le détail des choses pour pouvoir l'écarter aussitôt à mesure qu'il apparaît comme détail, afin de ne conserver que "le reste", c'est-à-dire l'essentiel ».

> *L'essentiel est invisible pour les yeux.*
> *On ne voit bien qu'avec le cœur.*
> — Saint-Exupéry

Lavande.

> *La douleur-temps continuera jusqu'à ce que participation à l'Être ait lieu : alors, aimer ne s'appliquera plus à tel ou tel être, mais sera, simplement, aimer.*
> — André Mercier

Champagne.

On rejoint ici le point Oméga de Teilhard de Chardin.
Dans cet univers d'acier,
de fer et de béton armé,
où les cœurs survivent à la mort
mais suffisent à peine à la vie,
il faudra bien un jour s'aimer.
En attendant ce jour béni :
c'est ici que tout se passe...
— Georges Dor

Et quand Proust parle du deuil qui mûrit la force de l'âme, il nous invite à reconnaître un « privilège » propre aux affligés (et qui n'est pas donné à d'autres), celui de pouvoir découvrir et reconnaître ce qui est essentiel, et d'en savoir un peu plus sur l'harmonie de l'Être.

Tenir, et pourtant laisser partir.
Perdre, et pourtant garder. Comment ?
(Le titre d'un essai de Dennis Klass que j'avais traduit.)

Batailles de la logique.

« Quand ton enfant est mort,
c'est une partie de toi qui meurt. »
NON, c'est une partie de moi QUI REFUSE de mourir.
Bataille de la logique.

Quel vent, quel vent... Je n'peux pas sortir.
Magenta.

Laisse aller.
Le temps te guérira.
Les conseils.
Les réponses toutes faites de ces gens bien pensants,
mais qui sont trop embarrassés pour penser avec nous.
Tu devrais tourner la page.
Rrrrugir !
Il n'y a rien que je devrais.
Bataille de la logique.

Je suis pris dans le ressac, roulé par les brisants.

Pierre-Alain (que je tenais sur ma hanche), voyant la mer pour la première fois, s'émerveillant, montrant l'horizon, puis se pelotonnant vite contre mon épaule.

« Mon petit papa miniature. »

Je suis né au creux des vagues,
au pays des âmes.

— Alan Stivell

Cette chanson est pour Anne-Claire, celle-là pour l'écureuil.

Je vais étudier les choses du vieux temps.

Mon pays n'est pas mon pays.

Je sens de l'électricité dans l'air. Les thèmes et les symboles semblent converger ici. Les tensions sont si fortes qu'un dénouement semble tout proche. Serait-ce l'œil du cyclone ? On dit qu'on y trouve une paix extraordinaire, que les dimensions et les forces connues jusqu'alors se subliment en une puissance sans pareille. Serait-ce la lumière au bout du tunnel ?

Sortir. Laisser sortir.

« Moi, j' te laisserai pas, jamais. »

Dans sa relation avec les survivants, la mort des jeunes est différente de la mort des vieux. Les âmes des défunts âgés et adultes ne laissent pas tomber les âmes de ceux qu'elles ont laissés derrière elles ; elles emportent avec elles ce qu'elles désirent prendre de nous. Par contre, les âmes des jeunes ne peuvent avoir de nous ce dont elles ont besoin que si elles restent en nous. Pendant longtemps, elles ne se séparent pas de nous. Le deuil des parents pour leur enfant n'est qu'une réflexion, dans l'âme des parents, de ce que l'enfant ressent. Leur douleur est un effet de compassion. L'enfant continue de vivre en eux ; et ce qui s'exprime comme douleur est, en fait, la vie de l'enfant dans leur for intérieur.

— Rudolf Steiner

Voilà qui me semble expliquer les tourbillons du petit poème de Pierre-Alain : « Quel vent, quel vent... Je n'peux pas sortir. »

Quel effort, quelle lutte ces mots pourtant si simples ont dû engager jusqu'ici pour se faire entendre !

> *...au creux des vagues*
> *je suis encore*
> *au pays qui dort.*

Dans les échanges des professionnels du deuil, une contestation revient souvent entre « cycles du deuil » et « étapes du deuil ». Ce dilemme semble se résoudre de lui-même dans l'optique de Steiner :

— le défunt âgé emporte avec lui une partie de nous, et nous ne pouvons accepter cette perte que graduellement par étapes (progression linéaire) ;

— par contre, le jeune décédé ne cesse pas de lutter en nous, et nous traitons nos convictions ébranlées en les passant en revue à la ronde (progression cyclique).

Finalement, nos enfants nous laissent aller.

Notons que cette conclusion est l'inverse exacte du conseil de ces gens bien pensants...

Freud a eu beaucoup de mal à vivre la mort de son père. Il affirme même que « la mort du père » est l'événement capital de la vie d'une personne. Le terme « père » revient à désigner « le modèle ». À la mort du père, le modèle, d'extérieur, devient intérieur. Le fardeau, la tâche, de l'affligé est d'incorporer le modèle. Toute l'énergie investie est alors libérée et devient utilisable. Et l'on peut dès lors s'appliquer à créer du nouveau.

J'ai eu beaucoup de mal à vivre la mort de mon fils.

Il m'a fallu passer sous le joug :

— il m'a fallu accepter, reconnaître (selon Freud) que j'avais en somme érigé mon premier-né en une sorte de modèle ;

— il m'a fallu subir en moi-même (selon Steiner) « la lutte de libération nationale de cette jeune âme », libération qui est, en vérité, le besoin inné de l'âme des jeunes, un besoin qu'ils ne peuvent assouvir qu'envers nous, leurs parents ;

— et, dans la tourmente, j'ai appris (selon Mercier) à reconnaître le détail des choses et j'ai tâché de l'écarter pour ne conserver que « le reste ».

Ce qui précède semble bien goupillé. Les routes convergent. Mais n'allez pas croire que j'avais en main une carte de ce pays étranger. Non, je l'ai connu à pied et dans la boue.

> *Moi, mes souliers ont beaucoup voyagé...*
> — Félix Leclerc

Et ce n'est qu'après que j'ai eu le loisir de « philosopher ».

> *La vérité, elle délivre d'abord ; elle console après.*
> — Georges Bernanos

Finalement, j'ai pu sortir — et laisser sortir.

> *La feuille d'automne,*
> *Emportée par le vent,*
> *En ronde monotone,*
> *Tombe en tourbillonnant.*

> *Colchiques dans les prés*
> *Fleurissent, fleurissent...*
> — Chanté par Francine Cockenpot

Lavande.

Magenta, revu et corrigé

> *Avec mon cœur et mes frissons*
> *Les plus beaux jours de nos moissons*
> *Les mots qu'on dit mais qui se perdent à l'horizon*
> *Vers ceux qu'on aime et qui s'en vont*
> *Pour ceux que j'aime et qui peut-être se perdront*
> *Je voudrais faire cette chanson*
> — Yves Duteil

Refaire face au mur magenta de la chambre des enfants. Instinctivement, nous avions choisi cette teinte pour sa chaleur ; pastel pour l'inconnu, l'expectative ; les nuances de bleu et d'orange dans le pastel magenta marquaient nos espoirs, peut-être.

Pour longtemps après la mort de nos espoirs, je ne voyais plus dans cette couleur magenta que le sang des batailles. Je tourbillonnais dans la courte vue de ma douleur et de ma colère. Il m'a fallu répéter le cycle des émotions bien des fois pour retrouver une perspective saine dans le magenta.

« Pierre-Alain est un maître pour Anne-Claire et pour moi. Je respecte son jugement et il respecte le mien. Il m'a aidé comme un partenaire, il m'a donné foi et inspiration dans ma direction des programmes radiophoniques interculturels (*Au son du cor, Patrimoine vivant, Vivats suisses, Fête des peuples, Ondes communautaires*). Maintenant, Pierre-Alain est passé à une nouvelle ambassade. »

(Cela est un extrait de ma lettre de faire-part écrite dans la semaine suivant les obsèques. Je m'étonne encore de notre efficacité dans les circonstances. C'est plus tard que j'ai eu ma phase zombie.)

> *Je voudrais faire cette chanson*
> *Pour faire pleurer notre maison*
> *De ces instants parfois trop lourds et bien trop longs*
> *Où le bonheur est en prison*
> *Pour que jamais l'amour ne perde la raison*
> *Je voudrais faire cette chanson*

Entre 7 et 10 ans, notre Pierre-Alain a fait des progrès surprenants. Je crains un peu de répéter une remarque que j'avais murmurée alors : « Il agit comme un garçon de 15 ans. Écoutez-le s'annoncer au téléphone ! Suivez-le quand il choisit son train dans l'horaire ! Étonnez-vous des mots d'encouragement qu'il offre à un musicien de rue handicapé en déposant une pièce dans la boîte de son violon ! » J'admirais ces changements ; je les trouvais « formid ». Mais j'étais loin d'y voir du formidable, du redoutable.

« Viens, Anne-Claire, je vais te montrer. »

C'est son frère qu'Anne-Claire écoutait. Moi, j'étais peut-être suffisamment sérieux, puissant, solide, mais c'est à Pierre-Alain qu'elle se confiait. Imaginez-la mettre la main sur la plaque brûlante du réchaud au studio de radio : c'est Pierre-Alain qui en prit soin si bien qu'elle ne poussa que des faibles miaulements jusqu'à ce que j'aie fermé les micros !

L'inverse est vrai aussi. Pierre-Alain était si fier de sa sœur qu'il l'avait un jour emmenée à l'école pour une période de « Je montre et j'explique » !

Et jusqu' au jour de nos moissons
Je voudrais de mille façons
Te dire je t'aime et de nos cœurs à l'unisson
Dans un élan dans un frisson
Offrir au monde un jour ma plus jolie chanson

Je chante maintenant. Je chante mes enfants. Ce ne sont pas des anges, loin de là. Mais ce sont *mes anges.* J'ai le sentiment de « faire la différence » pour eux, de provoquer des changements en eux. Ils étaient si petits quand ils sont nés ! Et maintenant, ils sont accomplis. Un parent comme tout autre, j'en suis fier d'une fierté méritée. Je ne me laisse pas dire que mes enfants ne m'appartiennent pas. Ils ne sont évidemment pas ma possession, mais ils m'appartiennent : ils font partie de moi et de ma famille. Nous, les parents, nous avons ce sentiment de puissance. Nous nous investissons dans nos enfants qui grandissent. Ils deviennent notre seule réalité.

C'est ici que tout se passe...

Et maintenant, la question surgit :

« Que puis-je bien faire encore pour qu'ils grandissent ? »

Magenta.

Il me faut une réponse magenta.

Si leur chanson doit durer, c'est à nous de la chanter.

Partager, c'est faire avancer le temps.

C'est ça. Je partage ma chanson avec vous.

Chaque chose que je fais ancre mon horloge d'un cran.

Mon fils, il me manque.

C'est le mien, et j'en ai besoin.

> *C'est le temps que tu as donné pour ta rose qui la fait*
> *si importante... Tu deviens pour toujours responsable*
> *de ce que tu as apprivoisé.*
> — Saint-Exupéry

C'est ainsi : non loin des fiers monuments, les canyons fracturent les plaines du désert. Même dans nos meilleures périodes, un rien peut nous emporter dans un tourbillon comme aux premiers jours. Mais, avec le temps — et l'exercice —, je sais maintenant me sortir du trou. En fait, partager ma chanson est une manière de célébrer Pierre-Alain et de le faire grandir ici.

J'entends encore la voix... comment les mots scandaient.
Le ton chantant me réjouit la mémoire.
Me réjouit la mémoire.
La voix vit encore, elle s'efforce de vivre à travers moi.
Lavande, champagne, magenta. Tout est là.
    « Pierre-Alain est transparent ! »

* * *

Quand le vent est au rire quand le vent est au blé
... écoutez-le chanter
Le plat pays qui est le mien
— Jacques Brel

Ça devient pour nous une source croissante de réconfort que de réaliser (c'est-à-dire de rendre réelle et publique) la beauté de certains détails fondamentaux de notre relation.

...le parfum d'une rose, un beau regard humain,
l'amitié qui veille et le pain partagé.

Puisque Pierre-Alain n'a jamais habité ici, pargager cette chanson est ma manière de le faire vivre ici pour mes nouveaux amis, qui maintenant le connaissent — précisément par ces histoires.

...Le ciel, c'est ici.

Veillée d'âmes

Entendez-vous dans le feu
Tous ces bruits mystérieux ?
Ce sont les tisons qui chantent...
— Chanson de bivouac

Belles images dans le pétillement d'un feu de camp entre amis à leur chalet. Calme de la nuit. Isolement des clameurs du monde. Les souvenirs, même fragmentaires, reprennent vie pour un soir, s'ébrouent, se complètent et s'échangent chaleureusement entre parents, frères et sœurs qui se comprennent :

Je m'étais endormi à côté du feu après une longue journée de conduite... Les enfants me réveillent : « Papa, nous avons brûlé tout le bois, c'est le moment d'aller coucher dans la tente. » Quelle a été *leur* veillée ? Quelles ont été leurs histoires ? Fiers qu'ils étaient d'être à eux deux dans les Grands Maîtres de l'ordre du Tisonnier...

Un beau matin, un ours était venu chez les voisins.

On l'a vu qui mangeait leur déjeuner à même la table de pique-nique...

Il avait acheté pour sa sœur un petit ours en bois sculpté. Nous l'avons encore : il est sur une chaise miniature sur le manteau de la cheminée...

> *Dans notre village autrefois*
> *Un ours énorme dévastait le bois...*
> *Depuis ce jour apprivoisé,*
> *L'ours pas méchant, joyeux et bien rasé...*
> *Au Nouvel An, il aide le facteur...*
> — Les Compagnons de la Chanson

Oui, il aimait bien les facteurs qui apportent les lettres des grands-parents, qui apportent des paquets et tant d'autres surprises... Il s'est mis à livrer un journal pour pouvoir, lui aussi, faire le facteur et « apporter les bonnes nouvelles »...

Chaque fois qu'on voyait un train, il nous fallait attendre le passage du dernier wagon : « La cambuse ! », s'écriaient les enfants. Et quand nous passions devant un restaurant-wagon, ou qui ressemblait à un wagon-restaurant, il nous fallait aussi nous arrêter pour y manger... Tout ça parce qu'une fois nous avions découvert un minuscule restaurant perdu dans la campagne, un petit wagon sur essieux. Son nom ? *La Cambuse perdue* !

—Une de perdue, dix de retrouvées !

Elle aimait tant, seule avec son frère, faire le trajet du funiculaire. Le matin avant qu'il ne s'envole en vacances, c'est ça le voyage qu'elle voulait faire avec lui. Le mécanicien leur a même fait visiter la salle des machines... Et quand elle est allée le voir, la première surprise qu'il lui a faite, c'est de l'emmener sur le petit funiculaire là-bas...

Au paradis, paraît-il, mes amis,
C'est pas la place pour les souliers vernis,
Dépêchez-vous de salir vos souliers
Si vous voulez être pardonnés...
— Félix Leclerc

Elle n'avait que 3 ans. Nous nous promenions dans la forêt en automne. Quel plaisir que de s'écouter traîner les pieds dans l'épais tapis de feuilles mortes ! Surtout quand papa et maman ont l'habitude de gronder : « Cesse donc de traîner les pieds ! » Et de courir, et de faire voler les feuilles partout ! Mais tout à coup je m'arrête : « Où est-elle ? Où a-t-elle bien disparu ? » Nous appelons. Pas de réponse. L'un retourne vers la route, l'autre remonte le ruisseau. Finalement, c'est son frère qui l'a retrouvée : elle avait grimpé dans les feuilles sur le flanc du vallon. Évidemment, elle ne nous avait pas entendus appeler : « Il y avait tant de feuilles, et elles faisaient tant de bruit ! »

Quelle frousse quand nous avons perdu notre fillette ! C'était en sortant du musée, à l'heure de fermeture. Il y avait foule. Je paniquais : l'aurait-on volée ? Ou bien je l'imaginais errer dans un musée vide toute une nuit... C'est son frère aussi qui l'a retrouvée. « Elle était chez son ami, annonça-t-il avec fierté. — Son ami ? — Oui, le bison. Tu sais, le bison qui est à moitié plein et à moitié squelette ! »

Les enfants avaient parfois de petits conciliabules en grand secret. Une fois, le voilà qui en sort en proclamant : « Elle veut dix-neuf fessées ! — C'est beaucoup, ça. Deux ou trois, passe encore, mais dix-neuf ! Pourquoi ? — Secret. Elle veut dix-neuf fessées. — Alors, toi, dis-moi toi-même. Pourquoi ? Si tu ne dis pas, tu les reçois. » Haussement d'épaules, moue timide, petit sourire... Elle les a reçues. Je suis toujours dans le mystère. « Secret ! », m'avait-il dit.

Il apprenait son ABC. Sa sœur était alors bébé. « BB ? », s'étonne-t-il. « AA, bébé, CC, DD... Ah, ha ! Bébé, cessez d'aider, E..., E..., votre frère ! »

Vous auriez dû les voir courir et les entendre s'appeler d'une rue à l'autre... C'était dans un parc où nous campions. Il y avait une colline de grès qui avait été morcelée par un tremblement de terre. Ça formait un quadrillage de rues, de ruelles, d'impasses, de tunnels. À bien des endroits, les rochers étaient si rapprochés que seuls les enfants pouvaient passer... C'est resté leur Grande Aventure. *La leur.* Ils en reparlaient sans cesse... Partir à la découverte.

Champagne, lavande et magenta.

* * *

C'est ainsi qu'en écoutant la chanson des tisons dans le feu, en revivant pour un soir les aventures de mes enfants et celles des enfants de mes amis, l'image dans mon kaléidoscope s'est arrêtée : nos enfants sont tous partis à la découverte dans une Grande Aventure, nous laissant derrière à entendre l'écho de leurs appels et de leurs jeux dans les rues d'une cité inconnue...

« Où es-tu ? », « Es-tu... », « Es-tu... », « Es-tu... »

Puisque je rirai dans l'une d'elles, alors ce sera pour toi comme si riaient toutes les étoiles. Tu auras, toi, des étoiles qui savent rire ! Et tes amis seront bien étonnés de te voir rire en regardant le ciel. Alors tu leur diras : « Oui, les étoiles, ça me fait toujours rire ! » Et ils te croiront fou. Je t'aurai joué un bien vilain tour... Et il rit encore.

— Saint-Exupéry

« Au revoir, les amis »

Soleil qu'il fait sur mon pays
Me faut le dire à mes amis
— Gilles Vigneault

Si l'on écoute l'inspiration de ce texte (en fait, une composition multitexte), on y retrouve la préparation avec Pierre-Alain d'un programme radiophonique pour « Bonjour, les amis ! », le quart d'heure des enfants au *Son du cor,* l'intercalage des chansons et des commentaires. Eh bien, ce que nous achevons aujourd'hui, ça se propose comme un documentaire de télévision où les images et les sons s'interpénètrent. Ou comme une fugue ou un concerto où les thèmes s'annoncent et disparaissent pour revenir dans diverses tonalités. Voyez comme il a grandi, notre Pierre-Alain !

> *Pour faire chanter tout l'Univers à l'unisson*
> *Je voulais faire cette chanson*
> — Yves Duteil

On pourrait aussi dire que nous avons fait un nouveau Théâtre du Soleil : « Soleil. Déjà. Haut ! »

« Le Petit Prince est revenu », chante encore Gilbert Bécaud.

* * *

Il y avait une autre couleur à la chambre des enfants, couleur que je ne vous ai point dite, couleur pourtant que je connais à présent : champagne, lavande, magenta — et bleu ciel.

Marcel Kopp.

TROISIÈME PARTIE
Tout juste adulte

Se souvenir de François

par
Julie Korell
et
Denise Charette

Tu es inscrit dans mon corps.

Maman Denise.

FRANÇOIS

FRANÇOIS KORELL
5 novembre 1969 — 27 juin 1986
Décédé d'un accident sur un
véhicule tout terrain
à l'âge de 16 ans et 7 mois.
« Entre un et deux ans après. »

« Je te trouvais parfait »

Mon cher François,
Pendant nos douze ans de vie commune, je t'ai parfois aimé, parfois détesté, mais c'était normal entre frère et sœur. Alors que je commençais seulement à te comprendre et à comprendre tes gestes, tu pars. Pourquoi toi plutôt qu'un autre ?
Pour moi, tu étais un modèle, un ami, quelqu'un avec qui on pouvait être ce qu'on est sans craindre d'être jugé ou rejeté. En d'autres mots, je te trouvais parfait.
Déjà deux ans se sont écoulés mais tu dois savoir que je ne t'oublierai jamais, comme je n'oublierai jamais tout ce qu'on a vécu ensemble.
Bon voyage dans ce nouveau monde.

Ta sœur qui t'aime,
Julie.

27 avril 1987 — Lettre à François

Mon cher François,
Un an déjà que tu es parti. Je pense encore à toi, parfois avec de l'amertume et le plus souvent maintenant avec la certi-

tude que tu es près de moi, que tu mets sur ma route des personnes qui m'aident.

Au début, le plus cruel était de ne pas avoir pu parler avec toi. Tu étais là, allongé sur la civière, à l'hôpital, avec je ne sais trop quel appareil, et tu ne pouvais pas nous parler. J'ai beaucoup souffert de cette absence de réaction de ta part. J'aurais aimé, tellement apprécié que tu nous regardes et que tu nous parles. Un bel enfant si grand, si beau, si mince, si vivant ; comment se peut-il que tout d'un coup il n'y ait plus rien ?

J'ai vu l'engin de ta mort, un engin si inoffensif en apparence ; comment pouvais-je le regarder ? J'ai demandé que cette machine soit portée hors de ma vue. François, pourquoi nous as-tu quittés ? Nous t'aimions tant.

Après, je me suis demandé ce que j'avais bien pu faire pour que cet événement se produise. Je pensais ne pas avoir été capable de faire de toi un être violent et fort, comme si cela avait pu empêcher la mort de te prendre. Ce que j'ai pu m'en vouloir ! C'était sûrement de ma faute.

Et les autres, quel accueil m'ont-ils réservé ? Les proches surtout, les parents, ne voulaient pas en entendre parler et ils revivaient par toi leur vie de chaque jour. Par exemple, mon père m'a dit : « Cela fait la cinquième fois que je vais dans un salon funéraire ce mois-ci » Et moi de lui répondre : « Oui, mais les autres morts sont vieux, c'est normal. »

Et toi, comment as-tu vécu ces moments-là ? Comment te portes-tu ? Moi, je ne voulais pas te déranger dans l'autre monde.

Et ta sœur, tu lui as fait mal. Elle n'était pas capable d'accepter de te voir branché sur les machines, elle ne voulait pas que tu partes. Elle était en colère contre toi, tu l'as laissée seule, elle aimait être le deuxième enfant ; tu l'as laissée tomber. Elle aurait pris soin de toi même si tu avais été un « légume ».

Elle et moi, nous nous sommes raccrochées l'une à l'autre, peut-être plus moi qu'elle.

J'ai appris des choses de toi que je ne connaissais pas. Je savais que tu étais doux et franc. Beaucoup de tes amis sont venus pour te dire un au revoir et pour te démontrer que tu *n'avais pas à partir, parce que, comme ils le disaient, tu étais « le plus doux de nous tous ».*

Ce soir, je te parle comme j'aurais aimé le faire du temps où tu étais là à mes côtés. Tu étais un être secret et réservé. Je garde de toi le souvenir que nous n'avions pas besoin de parler pour savoir que notre amour était. Tu venais sur mon lit avec le hamster, tu ne disais rien, nous étions bien.

Si tu savais comme je t'ai voulu, attendu. Quand tu étais en moi, j'ai vécu l'harmonie. Après, je savais que tu étais un autre. J'en ai souffert. J'aurais voulu te garder, t'emmener partout avec moi pour toujours.

Maintenant, je suis là à te parler d'amour et à attendre ton signe. J'ai lu plein de livres sur ce qui se passe au moment de la mort et après. J'ai eu de la difficulté à croire que tu n'avais pas souffert. Pour moi, c'était une hantise. Je ne pouvais supporter l'idée que tu souffres même quand tu étais là, je voulais t'éviter de souffrir. J'ai eu des réponses à ce sujet-là.

Des fois, il m'arrive de dire que les faits qui arrivent, ce sont des faits que tu commandes. Et je te regarde dans ton cadre où tu ris, et je me dis : «Voilà, il rit de moi.»

J'ai cette assurance que tu sais combien je t'aimais malgré mes imperfections. Je ne t'ai sûrement pas donné ce qu'il fallait mais je t'aimais, je t'aime.

Savoir que je ne t'oublierai jamais me rassure. C'est la seule certitude qui me reste. Advenant le cas où je perdrais la mémoire, tu es inscrit dans mon corps, *dans mon cœur.*

Maintenant, je ne suis plus fâchée contre toi. Je sais que tu es là, tu es mon inspiration.

Des fois, il m'arrive de te voir sortir de moi en larmes, je te sens, mais tu n'es plus là ; je suis bien seule sans toi, surtout quand je suis en présence de familles harmonieuses et quand ta sœur n'est pas là.

Que dire aux parents à qui pareille épreuve arrive ? Dire que la peine est insurmontable, je ne peux pas ; dire que chacun d'entre nous avons vécu et avons donné du temps à cet enfant qui nous est enlevé et que nous ne possédons pas la recette pour

garder nos enfants près de nous, dire comme on me l'a dit que
« cet enfant avait un message à laisser », « cherchez et vous
trouverez », je n'en sais rien.

Je ne peux que vous dire, qui que vous soyez, que l'amour
de cet enfant demeure et votre amour aussi.

Je vous quitte en vous témoignant l'amour que j'ai pour
vous, mes pareils en la mort de l'enfant.

Denise Charette.

27 avril 1988 — Souvenirs

François est mort. Il y a vingt-deux mois aujourd'hui.

Je n'arrive pas encore à y croire. C'est long, le temps dans la mort. Il paraît que le temps n'existe plus là-bas. Combien de questions restées sans réponses ! Où est-il ? Que fait-il ? Reviendra-t-il ? Je n'ai pas osé le déranger. Pourtant, bien des sujets me dérangent !

Par exemple, ce soir, il était question de l'augmentation de 40 % sur les taxes d'immatriculation pour la motocyclette. Bien entendu, cet instrument a provoqué la mort de mon fils. Eh bien, je suis d'accord pour cette augmentation. Quel engin monstrueux !

Et tout ce battage publicitaire concernant le don d'organes. Encore une question qui me tracasse. À l'hôpital, ils m'ont fait venir dans un petit bureau pour me demander si je voulais qu'on prélève des morceaux de mon enfant. Jamais je n'avais eu le temps d'imaginer que François mourrait un jour. Il était si beau, si jeune. Je ne voulais pas voir son corps profané. Et maintenant se pose la question de mon égoïsme.

La science n'a pas pu rendre mon fils à la vie. Tous ces appareillages sophistiqués et ces hommes froids n'ont pas su éveiller en moi le goût de la vie. J'étais comme une païenne, une mère apeurée devant l'inertie de son enfant. Ce jeune homme plein de vie la veille n'a pas daigné ouvrir les yeux. Il ne bougeait plus. À part un gonflement du cou, rien ne paraissait. Il était allongé sur un lit d'hôpital, immobile, encore chaud et beau, si beau et seul, si seul. Nous étions là pourtant à côté de lui, à le toucher, à vouloir qu'il reste encore. Il était déclaré mort.

Il fallait agir, prendre des décisions ; téléphoner, chercher un endroit pour le faire voir aux membres de la famille et surtout à ses amis.

Où est-il ? Que fait-il ? La consolation apportée par toutes les bonnes personnes n'a pas su être pour moi une réponse à ces questions. « Il a vécu, il a laissé un message, à vous de le découvrir. » « Il est bien là où il est. » « Il ne fera jamais plus rien de mal. »

Mais après !

Je l'aimais, je l'aime, cet enfant. François, prends-moi par la main, guide-moi !

Je t'aime tellement, je ne veux pas que tu meures.

27 mai 1988 — Un fait divers

Ce matin à la radio, j'ai entendu la nouvelle suivante : un jeune motocycliste s'est tué en entrant dans un balai mécanique. J'ai tout de suite pensé à mon fils. Il y a exactement vingt-trois mois aujourd'hui qu'il est décédé d'un accident de moto.

Quels moments épouvantables ! Tout se fait très vite. À part quelques témoins sur les lieux de l'accident, nous n'avons pas pu en connaître le déroulement. Un ami de François est venu nous avertir, et au même moment la police avertissait son père.

Les spécialistes ont vite fait de prendre la situation en main. D'abord la police, ensuite l'ambulance. Et nous voilà partis à l'hôpital pour voir cet enfant allongé sur une civière. Il ne bouge plus, il ne répond pas à nos appels. Le médecin vient nous apprendre qu'il ne sait pas ce qui va arriver. Il dit qu'il n'y a pas beaucoup d'espoir. De toute façon, il doit être transféré ailleurs afin de passer un scanner.

En entendant pareille nouvelle, je pense aux proches parents de ce jeune. Je me dis que ça arrive aux autres aussi. Je ne suis jamais indifférente à ces récits. Je pense à cette difficulté que j'ai ressentie à ne pas avoir été sur les lieux, à n'avoir pu prendre mon enfant dans mes bras pour le toucher et lui parler tout bas. Je regrette de n'avoir pu assister à la dernière scène. Je ne peux pas m'empêcher de m'imaginer le déroulement de l'accident et surtout j'aurais tant voulu savoir s'il a eu mal.

Quand arrivent les dates des 26 et 27, presque à tous les mois, je ressens la mort de mon enfant. Hier, je parlais avec la voisine. Je lui disais combien j'aurais aimé prendre dans mes bras ce petit enfant que j'ai tant aimé. Ce matin, la nouvelle à la radio, le temps de marcher pour me rendre au bureau, je me suis rendu compte de la date : le 27, jour du décès de mon fils.

J'étais nostalgique et je sais pourquoi.

François, mon amour, mon ange, je te garde dans ma mémoire. Je pense à toi souvent et j'espère ta présence auprès de moi.

Maman.

Parce que tu es parti

par
Micheline Pellerin-Thivierge
et
Benoît Thivierge
(frère de Daniel)

> *Et une femme qui portait un enfant dans les bras dit : « Parlez-nous des enfants. »*
> *Et il dit :*
> *« Vos enfants ne sont pas vos enfants. Ils sont les fils et les filles de la Vie à elle-même.*
> *« Ils viennent à travers vous mais non de vous.*
> *« Et, bien qu'ils soient avec vous, ils ne vous appartiennent pas. »*
>
> Khalil Gibran.

DANIEL

DANIEL THIVIERGE
8 septembre 1966 —— 26 janvier 1985
Décédé par suicide à l'âge
de 18 ans et 4 mois.
« Aujourd'hui, deux ans et demi après. »

À toi, mon fils...
parce que tu es parti

Ce titre vient d'un rêve fait quelques jours après la mort de Daniel. Au milieu d'une ville grouillante de vie, Daniel apparaît et me tend une enveloppe bleue portant mon nom et, comme adresse de retour, « Parce que tu es parti ». Puis il disparaît. Au réveil, je suis bouleversée, je me sens coupable d'être partie la veille du drame et j'interprète ce rêve comme un reproche. Je l'écris et après quelques jours j'y découvre une signification. Daniel est venu me remettre ce message et présentement je ne peux le décoder, et, pour trouver un sens à tout ce qui m'arrive, je dois poser des gestes, agir, parce qu'il est parti. Les deux textes qui suivent, soit « Une tempête » et « Une cage à ouvrir », sont deux des gestes posés pour nous permettre de donner un sens à cet événement et ainsi trouver le trésor caché.

Une tempête

Il était une fois un petit roi qui nous remplissait de joie. Un jour, à l'intérieur de ce petit roi, un mécanisme se brisa. Le petit roi est parti, laissant derrière lui l'éventail de la vie.

Tout commença au milieu d'une nuit d'hiver lorsqu'une sonnerie troubla notre sommeil. Un vent glacial, une vague im-

mense m'entraîne dans un monde irréel. Je ne peux y croire, je ne veux y croire. Je suis secouée au gré des éléments déchaînés. Mon navire est sans capitaine, sans vigie à la misaine. J'ai peur, je coule.

Un membre du navire a décidé de partir sans avertir, nous abandonnant dans une tempête dont j'ignore les paramètres. Le vent ploie mon corps, les embruns m'aveuglent. Le néant, aucun phare pour m'indiquer la route. Je suis seule dans un trou noir.

Pourtant je m'accroche, je fais corps avec cette tempête. Je la regarde en face et sur le moment j'espère le secours d'ailleurs. J'ai survécu, c'est noir mais calme. Une étoile s'allume, éclairant mon navire méconnaissable, rempli de débris. L'heure des choix est arrivée. Garder ce qui est bon, réparer, reconstruire, dire adieu à ce qui n'est plus, se détacher et garder l'essentiel. Seule dans la souffrance, seule dans la décision. Il y a des cycles immuables : le jour ; la nuit ; le soleil ; la pluie ; le blanc ; le noir ; la vie ; la mort.

Et, un bon matin, un oiseau bleu se pose sur le mât. Il est beau, chantant, innocent présage que la terre n'est plus loin. Cet oiseau m'apprivoise doucement et je décide de me laisser charmer. Me laisser aimer puis m'aimer de nouveau. Comme la mer, la vie est très belle à ses heures et extrêmement capricieuse à d'autres moments.

Je cherche toujours ma vérité, l'essentiel. Le plein maintenant refait, mon bateau vogue de nouveau. Enrichie d'une expérience unique, je suis consciente que dans la réalité il y aura toujours la mort et la vie. Mourir afin de ressusciter différente.

J'ai découvert le chemin du détachement et je conserve comme souvenirs le sourire et la simplicité de mon enfant : amour, bonté, pardon.

Par la paix du corps, découvrir la paix de l'âme pour aller vers la paix dans le monde et atteindre la paix éternelle.

Micheline.

Une cage à ouvrir

Il fut un temps, par là,
là où la somme des choses,
ces choses que l'on vit
souvent sans les voir,
se trouva parcelle manquante.

Une parcelle importante d'un tout,
d'une intégrité toute surprise, inquiète même,
de se sentir,
malgré d'ardentes protestations,
ainsi déchirée !

Mais que peut-on y faire ?
De la famille de ce tout,
voyez-vous,
nous faisons partie !
Rendons-nous-en compte, maintenant
qu'elle n'est plus tout à fait comme avant.

La force des choses est là,
devinons-la,
tout simplement présente
dans son quotidien
qui guide la direction,
celle-là qui nous ouvre les portes,
par là !

Et puis,
pourquoi verser dans l'absurde,
qui ne mène jamais bien loin,
mais plutôt se déverser
sur la voie...
la voie de l'avenir !

Cet avenir que nous bâtissons
au gré de notre fantaisie
qui, je l'ai senti bien vite,
me tendait la main.

Peu importe l'aspect de cette main,
il s'agit d'y voir un visage,
où la moindre ride, bienveillante,
nous dégourdit le cerveau atrophié.

Bien ! me dis-je,
qu'à cela ne tienne !
je l'empoigne solidement, naturellement,
cette bouée de richesses...
et me rehisse au bon niveau,
celui de la confiance !

Cette ligne que je repasse
en sens inverse, le bon, le mauvais ?
Je l'ai marquée, remarquée même,
et depuis le temps de cette marque !

La marque... !

J'aime bien y revenir, parfois,
au détour d'une pensée.
Je suis là qui l'observe,
comme dans un rêve !

Un rêve éveillé
où je me sens,
où je suis à l'aise
d'y entrer ou d'en sortir,

comme dans un vieux souvenir !

Benoît.

Ma vie après la perte
de mon trésor

par
Monique Greffard Lefebvre

Ironie du sort ou non-sens ?

MARTIN

MERVEILLEUX
SOUVENIR DE MARTIN
A **7** ANS

PATINS A ROULETTES

PATINS A GLACE

BICYCLETTE

BADMINTON

PING-PONG

SKI

MARTIN LEFEBVRE
27 avril 1962 — 18 avril 1981
Décédé par noyade en descendant
des rapides à l'âge de 18 ans.
« Aujourd'hui, sept ans après. »

J'ai décidé de vivre

Au départ, il est important pour moi de dire que mon fils était un fils unique, et que, deux ans et quatre mois avant le décès de mon fils, mon mari était décédé d'une troisième hémorragie cérébrale. Les événements du décès de mon Martin, je les ai vécus seule, complètement seule, affreusement seule. Seule, seule, seule, dans une maison où il y avait eu de la vie, la vie familiale, où dans cette vie familiale il y avait eu place pour un beau gros chien du nom de Cartouche, lui aussi décédé un mois après mon mari.

Ironie du sort ou non-sens ? Martin avait attaché sa veste de sauvetage et il s'est noyé. Un de ses compagnons qui n'avait pas attaché sa veste s'est lui aussi noyé. Le troisième, qui n'avait pas mis de veste, a réussi à nager jusqu'au rivage et s'en est sorti sain et sauf. Alors, vous est-il possible de comprendre l'intensité de la solitude et de la douleur que j'ai vécues ? Le décès de mon fils a presque fait chavirer mon équilibre. J'avais l'impression que la folie me guettait. Pour mettre fin à ce supplice, il y avait une possibilité : le suicide. Mais je n'aimais pas cette option. Pourquoi mettre fin à ma vie à moi parce que mon fils avait été imprudent, et s'était aventuré dans une expédition des plus téméraires ? J'ai refusé, après y avoir longtemps réfléchi, cette solution. J'ai décidé de vivre, mais la douleur qui me traversait le cœur était tellement forte, j'avais l'impression que mon cœur avait été transpercé par un poignard et c'était comme si je ne pouvais l'enlever. Comment me débarrasser de cette douleur ? Comment ? Mes forces avaient terriblement diminué, le sommeil était très difficile, rire était devenu impossible, je me traînais d'une journée à l'autre avec la certitude qu'un jour je serais emportée par une crise cardiaque.

La colère était terrible en moi. J'en voulais à mon fils Martin de s'être aventuré, *sans me le dire,* dans cette expédition maudite. (Il savait très bien que je lui aurais dit de ne pas y aller.) Mais comme il avait atteint l'âge de 18 ans, il croyait sans doute qu'il pouvait prendre ses décisions lui-même. Et c'est moi qui ai payé, de ma douleur, l'erreur qu'il a commise. J'y ai presque perdu ma santé mentale. Tout au long du long cheminement que j'ai dû faire, j'ai appris la vraie signification des mots souffrance, courage, effort, ténacité, persévérance. J'ai appris à connaître le vrai visage du monde : certaines personnes m'ont ignorée, ont ignoré l'agonie que je vivais (par « ignorer », je veux dire sans téléphoner ou écrire pendant un an). J'ai perdu des amis, qui eux aussi m'ont ignorée ; ils n'en pouvaient plus, les pauvres, de voir les malheurs me tomber sur la tête. Tout cela ajoutait à mon calvaire. Comment j'ai réussi à traverser tout cela ? En m'accrochant à l'idée que je ne pouvais pas mourir moi aussi, que ce serait trop absurde. Je voulais vivre les années qui me restaient à vivre en paix, sans souffrir. Mais je n'ai pas réussi à me débarrasser de ma douleur seule, j'ai eu recours à un psychiatre. La thérapie a été pénible, mais fut un succès. Tout au long de la thérapie, à mesure que ma douleur me sortait du corps, je sentais que je pouvais ressentir une petite joie ; plus tard, rire un peu, et finalement reprendre goût à la vie, bien entendu, après avoir liquidé la douleur et après avoir accepté la situation à 100 %.

Aujourd'hui, je suis en paix avec moi-même, avec les événements, j'ai une vie paisible, où le stress n'est pas bienvenu. Quiconque me cause du stress est éliminé de ma vie automatiquement. Je vis pour moi, pour me faire plaisir à moi, pour rattraper ce temps perdu à souffrir et à pleurer. Ma façon de voir la vie, les choses, les gens, a changé pour le mieux. Je recherche la qualité et non la quantité.

Mon Martin, j'y pense tous les jours. Au lieu de penser à ce terrible accident ou à tous les événements qui s'y rattachent, je pense à lui quand il était petit, qu'il me prenait par le cou et qu'il me disait qu'il m'aimait en me donnant un gros « bec » sur la joue. J'ai adoré cet enfant. J'y avais mis toute mon énergie, tous mes espoirs ; moi, je l'embrassais cinquante fois par jour quand il était petit, il était si gentil, si docile, un enfant facile à élever ; ses beaux cheveux frisés, son beau teint rose, ses belles jambes droites, ses belles petites dents, son beau rire franc, et comme il sentait bon quand je l'embrassais ! Quand il a eu 2 ans, mon mari et moi lui avions montré à patiner sur glace, à 5 ans le ski, à 6 ans le tennis, le badminton, le ping-pong, la natation, et finalement le patin à roulettes. Mon mari lui avait montré à bricoler ; il était des plus adroits, et moi je lui avais enseigné à se servir de son jugement. Je croyais que j'avais réussi, jusqu'au jour...

J'ai dans ma tête et dans mon cœur des souvenirs que personne ne peut m'arracher ; je lui parle souvent, en me rappelant une anecdote quelconque ; je revis des choses drôles qui se sont passées. Je le revois arrivant à bicyclette et me demandant ce qu'on mangera pour souper. Il est toujours avec moi. Mais je suis capable de rire, la plupart du temps je ne suis plus triste (sauf lors de certains anniversaires, ou si je vois dans la rue quelque chose qui me rappelle le drame). Mais mon chagrin ne dure pas. Il s'en va tout seul très vite, à mon grand soulagement.

J'aimerais raconter ici un rêve que j'ai fait pendant la thérapie, un rêve qui m'a fait comprendre que j'avais accepté les événements. Je suis sur le rivage, mon garçon est en chaloupe, sans rame, et le vent tire la chaloupe loin du rivage ; il a son plus beau sourire, il me fait un salut de la main, la chaloupe s'éloigne de plus en plus, il sourit toujours, m'envoie toujours la main, et moi je le regarde aller, souriante. Cela est le rêve merveilleux qui m'a libérée de ma douleur.

Présentement, il est 5 h du matin. J'ai écrit ces lignes en pleine nuit, je ne pouvais dormir, je cherchais quoi dire, comment le dire, je voulais le faire mais je savais que ce serait un peu difficile. Je ne sais pas si ce texte aidera quelqu'un. J'espère que oui. J'en aurais tellement plus à dire. On pourrait écrire un livre de mille pages. Est-ce que j'oublie quelque chose d'important, est-ce que je pourrais en dire plus ? Je ne sais pas.

Aujourd'hui, je ne parle jamais de mon fils aux gens que je rencontre. J'en parlerai seulement si je décide de me lier d'amitié avec une personne. Autrement, c'est le silence. Je n'en éprouve pas le besoin. De toute façon, les gens qui ne l'ont pas vécu n'y comprennent rien. Je recherche surtout les occasions de rire, de voir des choses divertissantes ; pas de drames, j'en ai assez vécus.

Je peux sincèrement dire que je suis heureuse. Ce n'est pas comme avant, mais je suis heureuse. Je suis en paix avec moi-même, avec les événements, avec la vie. Je recherche les gens qui sont eux-mêmes en paix, je ne supporte pas l'agressivité ni la haine.

Quand je pense à Martin, les mots qui me viennent à la bouche sont : « Cher trésor, je t'aime tellement. »

Sainte-Rose, Laval,
(1er mars 1988)

Kateri... De tout là-bas ou de tout près d'ici

par
Fernande Monette
et
Hélène Melançon

> *Car la vie va vers la vie et le chemin*
> *où elle court n'est plus sans horizon.*
>
> André Gignac.

KATERI

Poème

Le printemps
Le printemps
Est très content,
De voir le soleil
Cette vraie merveille.
Tout est fleuri.
Que c'est joli !

Kateri Melançon
6 ans

KATERI MELANÇON
8 juin 1966 — 8 février 1986
Décédée dans un accident ferroviaire
à Hinton, Alberta, à l'âge de 19 ans.

Textes écrits de février 1986
à septembre 1988.

15 février 1986
Église Saint-Albert-le-Grand

En t'attendant...

Hermanita* ... petite sœur, douce douce complice
ces mots se veulent à la fois murmure si discret, havre de tendresse.
Mots-soleil que je trace, imbibés de riches couleurs.
Mots-lumière que je désire brillants comme ta force.
Mots d'amour aussi puissants que l'arbre et la montagne.
Mots d'amour qui ne se lassent pas
gestes du souffle, ceux du cœur, en filigrane...

Kateri... de tout là-bas, ou de tout près d'ici
le gage inouï d'amour que tu portais
que tu donnais
en cet instant se dresse
comme une alliance-forteresse...

---

* Petite sœur, en espagnol.

Un lien infini d'amour
que la séparation étire sans le rompre
comme le printemps qui fleurit, comme une promesse
comme l'oiseau qui s'élance
comme ton sourire
plus présent que les montagnes...

*Texte lu lors de la célébration de la Parole et de
l'Eucharistie en mémoire de Kateri.*

10 mai 1986 — Cimetière de Saint-Étienne-de-Bolton

J'ai de toi le mot force
et pleine
un corps-plénitude
toute en courbes chaleur
visage plein de rires espace rassurant
Pleine...
Te toucher encore te serrer physique
Gestes-fantasmes enivrants
Eaux-fortes
Oh... naître encore...

Après-midi vert sur des herbes hautes
que le vent peigne dociles.
Fenêtre toute blanche — dérive.
Feuilles par le soleil attendries.
Tremblement...
Tu étais partout. Le vent, pâle.
La couleur de l'air.
Doublée... palpable.
Je t'y respirais tangible caresse.
Présence ivre de mon émotion
        enveloppant cette si petite maison
        où te trouvais
        au-dehors multipliée
        au-dedans recueillie.
De moi aussi en dehors, en dedans...
Dedans avec toi j'aurais voulu être
        toute.

Marcher. Verser lentement...
Procession de cloches qui me secouent. Violence.
À même cette entaille, nid de terre qui est tien
        berceau de roses et de printemps que le soleil éclabousse
        avec toi en terre j'ai glissé...

Longtemps pour étouffer...
        mes cris-spasmes dans ses plis.
Enroulée contre toi, secrète union.
Pleine de terre-tienne moi aussi
        dans ma bouche, mes yeux-oreilles
        mon ventre-amour labouré
        mes mains-entrailles boueuses se veulent douce chaleur.
Avec toi en terre
        tout partager, tout enraciner à jamais
Sève, semailles et épousailles.

Avec toi pleine de terre
        coucher mon cœur encore corps inondé
        toute ma tendresse-délire
        dans cette faille enfouie avec toi, elle et moi...
Abriter, entourer, bercer
        à tes côtés je me suis allongée.
Bercer, bercer, veiller
        avec toi avec terre je suis restée.

Aux portes matinales qui s'espacent
        j'ai donné au temps
        l'été
        le vent l'automne, l'hiver et ses marées
        du printemps les aurores succédées
        la terre lourde d'une autre année.

Cet hymne qui depuis est né
dans le silence de ta vallée
s'élevant de nos anciennes saisons
et vibrant en moi d'un merci infini
cet hymne qui fut aujourd'hui y jaillit
débordante moisson
d'une complicité réinventée
célèbre notre Amour
par la terre transcendée.

En mémoire de l'inhumation de ma sœur.

KATERI

Dépouillement
Toute nue
Je suis.

Kateri...
Partie.

Le temps s'est évanoui
Les choses
Les personnes
Tout est étranger
Sur cette terre
Perdue.

Dépouillée jusqu'à l'os.
Où sont mes racines ?
À quoi puis-je me relier ?
Toi partie
Toi si forte
    si généreuse
    si vivante.

Partie d'abord
Au Manitoba
Avec Jeunesse Canada Monde
Puis en Colombie

À jamais... perdue.

Et tu as vécu les derniers mois de ta vie
En pays étranger
Avec des étrangers qui sont devenus tes proches
Qui t'ont vue
Rire, pleurer
Aimer, grandir.

Et moi
Ta mère
Loin, si loin...

Quelle fête sera ton retour !

Ton retour
Quel retour ?
Tu n'es pas encore revenue
Tu ne reviendras jamais.

Je suis
Dépouillée jusqu'à l'os
Toute nue
Sur cette terre perdue...

De toi
Rien ne me sera rendu.
Petits fragments d'os
Cendres.

Comment te serrer dans mes bras ?
Comment de ces cendres peut-on faire renaître L'ESPOIR ?

L'espoir de quoi ?
De te retrouver un jour
De te retrouver aujourd'hui
De te retrouver *maintenant*.

Le lendemain de ton décès
Au petit matin
Il était six heures et il faisait très noir
Je t'ai vue renaître
Dans cette boule rouge sortie des ténèbres
Ce soleil au bout de la rue Saint-Hubert.
Le soleil se levait pour un autre jour
Marquant inexorablement la marche du Temps.

Ténèbre / Lumière.

Le temps.
Quel temps ?
Où est passé le temps depuis ta disparition ?
Serais-je capable de remettre l'horloge du temps en marche ?
Jamais plus le temps, l'espace ne seront pareils.

J'ai su
Ce matin-là
Que désormais
Tu te réincarnerais pour moi
Dans cette union au monde planétaire
Au soleil
Au vent
Aux nuages
Aux couchers de soleil derrière le mont Pinacle

À l'immensité du soir
Au bleu de la nuit
Aux étoiles scintillantes
À la Lune
Astre mystérieux
Me reliant à toi

Ma fille

Moi
Terre-mère
Nourricière
Dépouillée jusqu'à l'os
Toi
Fille-lune
Éclatée en milliers d'existences
Présente
À l'infini

Plus loin
Et
Plus grandement que mon entendement.

À tout cela
Aujourd'hui
Après deux ans d'errance
Je me sens reliée.

Mais toujours
Dépouillée
Toute nue
Errant sur cette terre
Perdue.

Tu dois renaître
Je dois renaître
Nous devons renaître.

Dix-neuf années t'auront suffi
Pour accomplir ta vie
Te réaliser.
Trajectoire unique d'une vie unique
Celle de mon enfant.
Étoile filante
Astre lumineux dans le firmament de mes ténèbres.

Urgence du moment
Disponibilité de l'instant
Lumière du cœur
Intelligence vive
Présence réelle
Ici. Maintenant. Toujours.

Toi qui aimais tant te promener dans les bois
Toi, attirée par la montagne

Par les sommets
Voici qu'aujourd'hui
Tu parcours l'univers
À grandes enjambées.
Je te vois
Entre les étoiles
Parmi les nuages
Présente
À l'infini.

Et non plus morcelée
Comme moi
Comme nous
Ni emprisonnée
Comme moi
Comme nous
Dans la dualité de deux mondes
Celui du corps et celui de l'esprit
Celui du cœur et celui de l'âme
Celui de l'ombre et celui de la lumière.

Transcendance
De la mort sur la vie.

Un passage vers moins
        de contrainte
        de souffrance
        de doute
        de déchirement.
Un passage vers plus
        de liberté
        de joie
        de certitude
        d'unité.

La grandeur de l'être réalisé
Le mystère.

Le train.
Le bruit du train.
Le déroulement des wagons sur la voie ferrée...
Passage à niveau
Signal infernal
Dans la nuit de mes ténèbres.

Dans cet engin de fer
Entre les vallées sinueuses des Rocheuses
Tu te trouveras
Ce matin-là.
Matin ensoleillé
Aux pics enneigés
Aux rochers glacés
Bleutés
De février.

Tu te trouveras... là
À cette conjonction
De deux parallèles
Ton destin.
Absurde destin
Victime innocente
D'une erreur humaine
D'une négligence coupable
Dans un face à face
De deux engins de mort.

Et tu seras incendiée.

Dans ce paysage divin
Tu seras incendiée.

Cendres, cendres, cendres
Métal tordu
Fragments de livre calcinés

Fragments d'os
Fragments de ma vie
Ensevelie, calcinée, tordue
Incinérée avec toi.

Mon avenir à jamais écroulé
Ton devenir pour toujours anéanti
Tu t'es réalisée en dix-neuf ans de vie
Réalisée c'est-à-dire accomplie.

Tout est consumé !

Donner la vie.
La vie est un don.
Donner la vie à un enfant
Recevoir un enfant
Son enfant.
Le voir grandir
Rire et pleurer
Lutter. Aimer.
Continuer sa vie à travers lui
Puis brusquement
Être dépouillée
Jusqu'à l'os
Toute nue sur cette terre
Perdue.

Prendre la parole pour crier ! ! !

Ce matin la neige blanche, duveteuse
Enveloppante, purifiante
Mozart jouant dans les collines avoisinantes...

Tout laver
Tout panser
Tout pardonner

Pardonner à la vie
　　　pour l'abominable
　　　　　l'inacceptable
　　　　　l'indicible douleur
Jusqu'aux entrailles
Jusqu'à la moelle
Jusqu'à l'âme.

Renaître des cendres de mon enfant
Renaître de mes cendres
Toute nue, épurée, lavée de toute souillure...

La neige enveloppante
　　　douce compagne purifiante
L'eau bienfaisante
　　　douce compagne salvatrice
Le vent énergisant
　　　doux compagnon vivifiant.

Kateri

Ton existence décuplée
　　　　multipliée
　　　　agrandie aux dimensions du cosmos.
L'amour transcendé
La présence retrouvée
L'union purifiée
La communion dans
　　　l'amour
　　　le pardon
　　　l'amitié
　　　le don.

Don de ta vie
Don de ma vie
Pour un monde meilleur.

　　　　　　　　　　　Abercorn, le 7 mars 1988.

Espérance

Un jour pas trop loin j'espère
J'irai la retrouver
Un jour pas trop loin
Car sinon
Elle m'aura tellement devancée
Que je ne pourrai jamais la rattraper…
Moi, tortue
Et elle, gazelle

Mais en attendant
Je construirai un autre nid
Pour me loger
Un autre nid
Pour y bien vivre
Car la vie
Car l'amour de la vie
Appelle un renouveau…
Car l'amour dans ma vie
Appelle une purification

Notre-Dame-de-Grâce, juin 1987.

En gage d'éternité...

Sais-tu ce soir qui est venu me visiter ?
D'abord une auto s'est arrêtée, rue Galilée.
Emmitouflée, Kateri mini, tête de palmier.

Kateri des toutous jalousés
des casse-tête et des jeux de société.

Kateri des vacances à la mer
Titounette, bonnet de bain bien enfoncé
des chaudières de sable, du mini-golf, des trésors salés
mais surtout
de notre chambre commune de ces étés
un royaume juste à nous
pour rigoler, chuchoter
pour jouer, émerveillées.

Petite sœur adorée, prisée
avec tant de fierté.

Kateri S.T.B. première année
Monsieur Souris, poèmes et crayons à colorier.

Kateri des Noëls d'enfance
pleine d'importance
pleins de gaieté.

Petite sœur aux joues toujours rosies
petit bout de femme aux yeux étoilés
toute en sensualité.

Kateri de Judith, « bé-zé-bo-dé »
aux cachettes et aux rires multipliés

Kateri de Georges, le favori.

Kateri toute à Fenouil
tous les secrets, toute la patience
toutes les colères et les peines aussi...
        sa meilleure amie
        entre plus petits.

Kateri des gâteaux aux carottes, des dominos
et des cartes de fête toujours fleuries.

Petite sœur à l'élan spontané, le pied bien planté
        toute en générosité.

Celle de Piette, de Patrice et des « Américains »...
        Kateri « Melon ».

Kateri des après-midi paresseux sur le balcon
        du quotidien, comme une précieuse chanson
        celle des samedis d'hiver et des commissions

La Kateri d'Alain, de Marc-André, de Geneviève, Chantal
        Zic et compagnons
toujours entourée, absorbée avant tout à l'amitié
        celle des soupers improvisés
        des fondues et des fêtes déguisées, jamais oubliées.

La Kateri d'Éric, un dimanche matin ensoleillé...

Kateri des balades à bicyclette
des bottines de marche en sentier, des excursions sacrées
celle de Québec en voilier, de Percé, des aventures accélérées

Petite sœur endormie, chérie...
confort des matins gris.

Kateri du huit juin
si pleine de maturité
engagée, débrouillarde et décidée.

Kateri des espresso allongés aux discussions animées
boute-en-train et Mafalda par la main.

Kateri tout intérieure, les yeux embrumés
ses jours de pluie...
Celle des grands plaisirs et des fous rires, dans l'intimité
en coup de vent pleine de temps pleine de vie...

Kateri de l'essentiel, maternelle
qui comprend tout et donne toujours.
Celle de qui j'ai tant appris...

Petite sœur à tous les jours
petite sœur de mes amours.

Kateri des confidences, de la salle de bains de la
        vaisselle à essuyer
des projets partagés des intuitions avouées, tout bas
aux longs déjeuners trempés
dans le lait au chocolat.

Kateri à la sagesse millénaire, inexpliquée
qui s'exprimait de la sincérité, de la simplicité.
Petite sœur des robes champêtres aux jours de fête
en mémoire d'elle, fidèle
toute sa beauté.

Les ai-je seulement toutes nommées ?
Sans pour autant en oublier
sûrement non, elles n'en finissent pas d'arriver...
S'assoyant à mes côtés
tantôt sur mes genoux

elles sont venues me retrouver
il y a toujours une place pour nous...
en cette heure bien choisie me raconter
leur douceur, leur odeur
toute ta proximité.

Et j'en étais si touchée
je les ai toutes priées
        de t'exprimer mon bonheur en cette nuit
mon rayonnement, mon euphorie
mais aussi Kateri
toute ma joie
tous les soleils en arc-en-ciel
        que j'ai pour toi.
« Il faut lui dire combien d'elle
        je m'ennuie... »

Un instant d'éternité

Ce soir, cinq heures, coucher de soleil d'un rouge intense. Douceur de l'air, jamais on ne se croirait en hiver ! Je me suis assise sur le seuil de la porte toute grande ouverte et je me suis sentie tout près de Kateri à cause de la solennité du moment.

À chaque fois que je vis un de ces moments privilégiés, je pense alors à ma fille et je sais qu'elle est présente dans ce moment sacré où mon âme rejoint son esprit, que dans cet instant d'éternité il y a communion entre nous.

Abercorn, dimanche le 31 janvier 1988.

Kateri chérie...

Hier, c'était la cérémonie annuelle des défunts à Saint-Étienne. Dans le petit cimetière ensoleillé — terre sacrée et bénie entre toutes où reposent tes cendres —, j'ai déposé avec dévotion tous les pétales de roses et de fleurs de mon été.

À travers ces signes tangibles, cendres et fleurs séchées de mon été, je te rends grâce pour le cadeau que tu m'as donné, ces dix-neuf années que nous avons vécues ensemble
où ton amour de la vie
et ton sourire radieux
ont enchanté mes jours et mes nuits d'une douceur infinie...
Au revoir et merci, ma fille chérie.

Septembre 1988.

Toujours là...
Un si bel amour...

par
Madeleine Vigeant

> *Un homme qui s'éteint,*
> *ce n'est pas un mortel qui finit,*
> *c'est un immortel qui commence.*
>
> Doris Lussier.

LUC

A toi la liberté
Je ta grande
soeur qui t'aime
Silú
xx

LUC VIGEANT
4 mai 1962 — 3 février 1986
Décédé d'une profonde
dépression à l'âge de 23 ans et 9 mois.
« Aujourd'hui, quinze mois après. »

Hommage à notre cher fils Luc

— Trop jeune tu as quitté cette vie, sachant trouver mieux au Paradis.
— Pourquoi fallait-il que soudain tu nous quittes sans lendemain ?
— Tu as traversé la barrière du silence sans nous avertir à l'avance.
— Tu nous as tous peinés, jamais nous n'oublierons ce souvenir trop profond.
— Partout où tu passais, tout le monde te remarquait.
— Ta joie, ta bonté, ta bonne humeur plaisaient à tous les cœurs.
— Nous t'avons admiré, cajolé, choyé. Pourquoi a-t-il fallu te pleurer ?
— Ton court chemin fleuri était à peine commencé qu'un jour tu l'avais quitté. C'ÉTAIT FINI.

Merci d'avoir existé, Luc. Nous t'aimons pour toujours.

Perte

Quand le destin vient vous arracher un fils de 23 ans, c'est le cœur avec tout ce qu'il contient d'amour qui disparaît ainsi que tous vos beaux projets.
Cela chambarde toute votre existence.
Tout votre avenir disparaît à jamais avec lui.
C'est fini, et ce pour toujours.
On est devant la cruelle réalité en un seul instant.
C'est invivable et on veut mourir.
Mourir, oui, ne serait rien à côté de notre douleur.
C'est déchirant de vivre sans lui.

Un peu de son enfance

Luc est né par un beau jour de mai. Mon Dieu que nous étions heureux ! Nous avions le bonheur d'avoir aussi une belle petite poupée d'amour en santé et très en vie. Elle était de seulement 34 mois plus âgée que son petit frère Luc, et elle aussi était heureuse d'accueillir son petit frère. Ils s'aimaient déjà et cela a été une belle et courte histoire de complicité et d'amour dans leur monde d'enfants.

Luc allait très bien à l'école et l'on disait même qu'il était une petite vedette de la classe.

Son papa aimait emmener sa petite famille en vacances ; tout allait très bien pour nous. Nous aimions voyager tous ensemble et Luc était très curieux. Il aimait lire la carte géographique. Ainsi, il avait l'impression de diriger les voyages. Déjà un petit homme, quoi !

Son adolescence

Luc était grand, beau et fort ; il réussissait bien au secondaire et il était aussi très travaillant ; plus tard, il s'est dirigé vers l'électronique et il a tout donné de sa personnalité pour réussir ; dans ce sens, son désir de réussir était si grand qu'il est mort pour cette maudite compagnie. Oui, je le dis aujourd'hui, il en est mort. Il disait souvent que le stress de son travail lui faisait peur et qu'il n'avait plus de forces.

Ses amours

Dans ses amours, Luc n'a pas été très chanceux. Il a souvent, très souvent pleuré, surtout quand il a connu un amour impossible. Il en a tellement souffert et a beaucoup changé à travers cet amour. Nous ne pouvions rien y faire. Nous aussi nous en avons souffert et nous en souffrons encore, mais peut-on vraiment lutter contre les penchants innés ? Il faut respecter la vie amoureuse de Luc ; c'est pour cela que je ne veux plus en parler. Ce qui nous fait de la peine, c'est qu'il avait une charmante amie qui l'aimait, l'adorait et le dorlotait, mais Luc était au bout de ses forces, ne pouvait pas répondre à cet amour. C'est dommage car nous aussi nous l'aimions beaucoup ; nous aurions été si heureux tous ensemble. Mon Dieu, donnez-nous la force d'accepter tout cela.

Réflexions

Nous sommes de simples parents qui avons aimé notre fils très, très fort. Comme les autres parents devant le mystère de la mort, et n'ayant jamais eu qu'une foi fragile, nous n'avons jamais autant ressenti le besoin de la certitude de l'immortalité. Il nous apparaît, à son papa, sa maman et sa sœur, irrationnel, illogique, injuste et inacceptable que la vie humaine ne tienne qu'à un fil et qu'il n'ait été de passage avec nous que quelques années. Sa petite amie nous a dit : « Dieu devait avoir un grand besoin pour venir chercher un homme comme lui. » Nous, ici, devons continuer à vivre. C'est pourquoi nous demandons ton aide, ta force pour continuer à vivre. Luc, garde-nous dans ton petit cœur pour toujours ; c'est ta dernière promesse.

Nous, ses parents, pensions que ce bonheur resterait toujours avec nous. Mais quelqu'un en avait décidé autrement.

Aujourd'hui, il me semble encore impensable que la vie une fois commencée s'achève aussi bêtement par une triste dissolution et que de si riches espérances et de si douces affections n'y soient plus. J'ai, pour continuer à vivre, dans ma petite tête si ébranlée et si frêle, l'assurance que Luc est parti pour un monde que l'on dit meilleur. Dieu, accueille-le dans ton Paradis, et toi, Marie, prends-le dans tes bras pour nous car il a souffert pour en arriver là, n'est-ce pas ? Je sais que Luc nous dit : « Regardez non pas la vie que j'ai quittée, mais plutôt la vie que je commence. » C'est ce qui nous console et avec la promesse de nous retrouver un jour.

Espoir déçu

Après le départ de Luc, je me suis tournée vers les prêtres pour avoir un peu de chaleur humaine, un peu de compréhension. Nous avions tellement de peine, nous étions tellement désespérés que nous ne savions où aller. Croyez-moi, j'ai été très déçue et Dieu sait que nous en avions besoin. Mais, un jour, un prêtre qui avait célébré le service funèbre de ma mère (quinze jours avant le décès de Luc) nous a enfin reçus, nous a enfin écoutés, et il a lu les lettres d'adieu de Luc. Lui et un autre prêtre nous ont convaincus que Luc était tout amour et que l'on peut aussi donner sa vie par amour. C'est aussi la conclusion de plusieurs personnes. Mais nous, ses proches, aurions préféré qu'il continue de vivre avec nous et pour nous. Jour après jour, Luc, nous avons toujours le mal de toi. Au lever et au coucher du soleil, notre pensée est pour toi. Nous ne voudrons pas t'oublier, mon grand chéri, nous sommes toujours avec toi où que nous soyons.

Renaître à la vie

Après le décès de mon fils, j'ai pensé souvent à mourir. Nous avons tous pensé à mourir. Il nous a fallu tout le courage possible pour continuer le chemin. On dit aussi que le temps arrange les choses ; c'est peut-être vrai, mais c'est encore difficile pour nous. En mai 1987, notre fille nous annonçait l'heureuse nouvelle qu'elle était enceinte. Je n'ai pas besoin de vous dire que nous attendions avec impatience ce bébé. En janvier 1988, une belle petite poupée nous est donnée. Dieu que nous sommes heureux ! Une belle fille blonde aux yeux bleus.

Merci aussi à notre fille qui a fait son possible pour nous rendre la vie plus heureuse.

Espoir

Je peux vous dire aujourd'hui avec lucidité que la vie a un certain sens depuis le départ de Luc. Je veux aussi apporter un petit message d'espoir à tous ceux qui ont à traverser cette grande épreuve, cette grande perte. « Par-delà la tristesse, il ne faut pas lâcher. » Dans notre douleur, nous cherchons des raisons, toutes sortes de raisons pour expliquer la mort d'un être cher que nous aimons. Souvent, des profondeurs, nous voulons crier : « Pourquoi, Seigneur ? Pourquoi m'as-tu fait cela ? »

Il y a trois choses que seul Dieu connaît :

le commencement des choses, la cause des choses, la fin des choses.

Mais Dieu nous a laissé une promesse qu'un jour nous comprendrons. Même si nos « pourquoi » demeurent sans réponse, nous sortirons de notre douleur avec un esprit plus fort, et une intelligence habitée d'une nouvelle sagesse. « Bienheureux ceux qui souffrent car ils seront consolés. » Avec l'espérance, les malheurs ne sont jamais les maîtres. Malheur aux ignorants qui portent leurs jugements déplorables vis-à-vis des désespérés, ils ne seront que remords.

Ceux que nous avons aimés et que nous avons perdus ne sont plus où ils étaient, mais ils sont toujours et partout avec nous et où nous sommes.

La joie que nous avons éprouvée un jour, nous ne pourrons jamais la perdre. Tout ce que nous aimons profondément devient une partie de nous-mêmes.

S'il y a un texte qui résume bien mon expérience et ma pensée, c'est celui de Doris Lussier, écrit à l'occasion du décès de son fils.

« Maintenant je sais que la plus grande douleur humaine qui puisse exister, c'est la mort de son enfant. Ça vous déchire l'âme, le cœur et le ventre. Ça vous assomme, ça vous triture, ça vous démolit. »

« Je ne sais plus qui a dit (je crois que c'est Lamartine) : "Le malheur ouvre l'âme à des lumières que la prospérité ne discerne pas" » (Doris Lussier). Avec Luc, nous vivions intensément, nous ne savions pas. Puis par un beau matin d'hiver, la mort d'un fils tant aimé de nous tous nous a démunis de tout espoir. Cela a été comme un coup de poignard qui nous a transpercé le cœur.

« Je ne vous dirai pas mon chagrin, il est indicible » (Doris Lussier). Mais j'ai le goût de vous dire à vous, mes amis inconnus, toute cette déchirure que peut laisser dans un foyer la mort d'un enfant si aimé qui avait de si beaux projets pour l'avenir et qui a tant travaillé, tant espéré, etc.

« Je pense qu'il n'y a pas de valeur humaine plus précieuse que le bonheur de ses enfants. C'est que ce bonheur de nos enfants exige de nous un amour inconditionnel, fervent, tenace, patient, doux, quotidien » (Doris Lussier).

Quant à moi, je souhaite profondément que ces écrits puissent vous aider. C'est mon souhait le plus sincère dans cette douleur si intense. Je vous dis que moi je vous aime et que je suis aussi avec vous de tout cœur.

Madeleine.

Doux souvenir

par
Anita Robichaud

*Un souvenir heureux est plus
vrai bien souvent que le bonheur.*

D. Thompson.

RÉAL

Que de sou-ve-nirs dans nos jeux d'en-fants
Mais tout ça me sembl' si loin main te nant
il y'a long temps Tres long temps

RÉAL ROBICHAUD
19 septembre 1959 — 4 décembre 1983
Décédé par suicide à l'âge
de 24 ans et 2 mois.
« Aujourd'hui, trois ans après. »

À mon fils Réal, qui aurait
aujourd'hui ses 27 ans.

19 septembre 1986.

Cher Réal,

C'est maman qui vient te dire sur papier
ce que j'aimerais tant pouvoir te dire de vive voix.

« Bonne fête, Réal ! »

Tu sais, mon grand,
Comme toute maman, j'avais rêvé
de voir grandir tes enfants.
Je me voyais déjà appeler ton plus vieux :
« Poisson d'eau douce »,
comme on t'appelait tout petit.

Oui, « Poisson d'eau douce ».
Que de souvenirs dans ce surnom !

Tu te souviens de mon oncle Yvon ?
C'est lui qui, au départ, t'avait baptisé ainsi

quand il jouait avec toi
et qu' il te mordait de ses deux « crocs » qui lui restaient.

Tu lui filais entre les mains comme un vrai poisson,
vite comme l' éclair,
pour te protéger.
Et ensuite tu profitais d' un moment d' inattention
pour retourner lui sauter dessus,
pensant cette fois être le plus fort.
Et c' est quand tu étais épuisé,
fatigué d' avoir tant joué avec lui,
que là il te laissait avec l' illusion
que c' était toi, le petit bonhomme,
qui avais été le plus fort,
et que tu avais remporté la victoire...

Même nous, tes parents,
tu nous as filé entre les mains,
ce matin du 4 décembre 1983,
sans qu' on n' ait pu rien faire pour t' agripper.

Comme le dit si bien Khalil Gibran dans ses écrits,
« Tu as ressemblé à celui qui a marché dans la nuit,
portant derrière lui une lumière
qui ne l' éclaire pas.
Tu as marché comme un esprit au milieu de nous,
et ton ombre est maintenant la lumière
qui éclaire nos visages. »

Réal, permets que mon cœur de mère
te voie toujours tel que tu étais :
doux, patient, paisible, facile à vivre.

Je t' embrasse, mon enfant.
Je t' aime. Bonne fête, Réal.

Maman.

QUATRIÈME PARTIE

Être tué

Le mal

par
Denise Gingras-Gosselin

Qu'est-ce que ce JE ce MOI
Ce Veau d'Or moderne du SOI
Puisque chaque geste posé
Sacrifie l'amour à la liberté ?

YVES

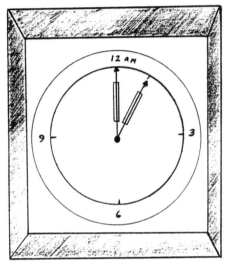

Il a été repris, de
peur que le mal ne corrompe
sa conscience, pour que le
mensonge n'égare pas
son âme

LIVRE DE LA SAGESSE (4, 7-15)

YVES MARTEL
12 février 1959 — 14 février 1986
Décédé par assassinat à l'âge de 27 ans.
« Texte écrit de 6 mois à 32 mois après. »

À la douce mémoire de mon fils Yves

Désespoir

À l'ombre humide des vieilles pierres
Je médite et je désespère
Mes souvenirs sont à la fois
Ma richesse et mon désarroi

Manifestez-vous, fluides entités
Dans un brouillard d'éternité
Car je suis une morte vivante
Que le néant séduit et épouvante

Mon fils, tu as meurtri mon cœur
Implacablement il se meurt
Et puisque je ne peux l'achever
Viens donc vite me chercher

Je ne vibre plus que de frissons
Qui ne sont pas des émotions
Et dans ce monde perfide
Mon âme lentement se vide

Demain je fleurirai ta pierre tombale
J'entendrai et sentirai les balles
Qui ont répandu mon sang
Que tu renouvelais en naissant

Il ne faudra donc pas s'étonner
De me voir changer
Puisqu'une partie de moi
Est morte avec toi

17 août 1986

Présage

« Prenez bien garde aux yeux bleus
Ils vous rendront malheureux »
Refrain d'une vieille rengaine
Qui prédisait ma doucereuse chaîne

Car l'amour crée des liens
L'enfantement tissa les miens
Tu es né les yeux bleus
À l'envoûtante couleur des cieux

Yeux bleus de ton enfance
Teintés de gris à l'adolescence
Ombragés de longs cils
À rendre jalouse une fille

Mais moi je les vénérais
Ces yeux si rares que jamais
Je n'en retrouverai d'aussi beaux
Pour me faire oublier ton tombeau

Ils sont fermés pour toujours
Ces yeux qui inspiraient l'amour
Mais dans ma mémoire austère
Leur reflet ne sera pas éphémère

Tu as emporté avec toi
L'éclat de mes yeux à moi
Mais j'aurai eu la faveur
D'une temporaire splendeur

S'il y a un prix à payer
Pour tout ce qui nous est donné
Le mien est proportionnellement cruel
À ta valeur exceptionnelle

À croire que trop aimer
Peut devenir un péché
Et que son absolution
Exige l'épitaphe de ton nom

6 octobre 1986

Dis-moi, mon fils

Comment peut-on expliquer
L'inconscience du meurtrier
Ou tout acte de violence
Qui frise la démence ?

Celui qui t'a exécuté
Froidement et sans pitié
A-t-il aussi une mère aimante
Qui n'est pas encore perdante ?

Le Seigneur m'enseigne de prier
Pour les soi-disant défavorisés
Car il faut avoir été mal aimé
Pour accepter de tuer

Pour le don de vie et de miséricorde
Qu'à tous IL accorde
Le Seigneur me demande de pardonner
À celui qui t'a assassiné

Il me dit d'intercéder pour l'inconnu
Que tu as sûrement vu
Avant de fermer les yeux
Sous son arme à feu

Dis-moi, mon fils
Si tu comprends le supplice
Qu'au nom d'un monde meilleur
Je doives plaider pour un malfaiteur

On te disait généreux
De ta place chez les bienheureux
Montre-moi la façon
D'atteindre une telle abnégation

16 octobre 1986

Premier Noël

Et maintenant s'en vient Noël
Qui ne sera plus jamais pareil
Trois croix remplacent le sapin
Celle que je porte et celle du Divin

La troisième était sur le cercueil
De mon enfant dans un linceul
Après les prières d'usage
On m'a remis cet héritage

Je l'ai glissé dans un tiroir
Folle de rage et de désespoir
Puis l'évolution de mon chagrin
Me l'a fait reprendre en main

J'en ai orné mon salon
Suivi d'une étrange réaction
Comme la douce présence
De mon fils en permanence

NON, ce ne sera plus jamais pareil
Pour mes préparatifs de Noël
C'est la fête d'un Enfant
Qui renaît tous les ans

Mais moi je vis le vendredi saint
Qui s'est avéré mon destin
Ô Jésus de la crèche
Sois fidèle à ta promesse

J'attends la résurrection
Qui me fait tenir bon
Celle qui à la fin des temps
Me fera retrouver mon enfant

Puisqu'on ne fête pas une mort
Qu'on n'exige pas de moi d'autre décor
Que cet emblème de vie éternelle
Qui symbolise mon espérance du ciel

20 octobre 1986

Absence

Presque neuf mois déjà
Que tu n'es plus là
Pourtant tu vis dans mes pensées
Du début à la fin de mes journées

Ta présence est si constante
Qu'elle influence mes détentes
Le soleil et le rire m'agressent
Car tu ne jouis plus de leurs largesses

Mes loisirs sont automatiques
Comme un robot je les pratique
Redonne-moi ma joie de vivre
Puisqu'en partant tu l'as prise

On dit de faire d'une perte un gain
Mais j'attends encore le lendemain
Qui saura me captiver
Car sans toi tout est à supporter

Je ne chante plus
Moi qui y jetais mon dévolu
Si un jour j'entonne un air
Je saurai que tu as fait une prière

Je saurai surtout
Que tu existes je ne sais où
Et que l'idée de te revoir
N'est pas illusoire

Oh ! Marie, moi qui aimais mon fils
Autant que tu aimais Jésus jadis
Prends mon bras et soutiens-moi
Sur le chemin de la Croix

Mais avant de penser à moi
Occupe-toi d'Yves où qu'il soit
Et même s'il reniait la religion
Accueille-le en « bon larron »

23 octobre 1986

Refus

J'attends que le téléphone sonne
Et ta voix dans ma tête résonne
Ta manière de dire « maman »
Je l'entends bien clairement

Il y a des jours d'accalmie
Comme sous anesthésie
Suivis d'un réveil brutal
Et alors j'ai très mal

Il y a des jours de colère
Qui engourdissent ma misère
Me souvenant de ton arrogance
Devant mes craintes et mon indulgence

Je ne crois pas que tu aies réalisé
À quel point je t'ai aimé
Ni que tu aies jamais compris
Que j'étais ta meilleure amie

Tu te rebellais constamment
Comme tout adolescent
Et tu prenais pour une dictature
Tout ce qui brimait ta nature

Mais quelle douce contingence
Lors de brèves instances
De retrouver dans ton regard
Une limpidité sans écart

Pourquoi n'as-tu pas eu le temps
De trouver un nouvel embranchement ?
Cruauté insondable du destin
Mystère sans lendemain

Si tu me vois dériver
Pose ta main sur le levier
Afin que ton passage sur terre
Me dicte un courage dont tu serais fier

28 octobre 1986

Pourquoi ?

Je cherche inlassablement
La raison de ton tourment
Celui qui te mena à l'éveil
D'un paradis artificiel

De plus en plus vite
Fut ton idée de réussite
Et avec le feu menaçant
Tu jouais naïvement

Quel était donc ce besoin
D'aller toujours plus loin
À la poursuite de plaisirs
Qui minaient ton avenir ?

Serait-ce la nécessité
De ne pas te sentir rejeté ?
Car ta forte personnalité
T'attirait une troublante méchanceté

L'inévitable envie
Des moins bien nantis
Te faisait inconsciemment réagir
Selon leur gré pour les retenir

Dans ta quête légitime d'amitié
Tu ne pouvais pas soupçonner
Que leur maladif désir
Était de détruire

Personne ne peut plus te blesser
Ton aventure est terminée
Mais moi je dois cheminer
Sans toi, mon unique héritier

Il ne me reste donc qu'un espoir
Celui de te revoir
Si la Terre promise
Finalement se concrétise

30 octobre 1986

Miséricorde

Je voudrais connaître l'auteur
Qui m'afflige de ce grand malheur
Et lui demander comment
Il peut tuer sciemment

Je désire pour lui la connaissance
De l'étendue de ma souffrance
Afin qu'il ne tinte pas
Une autre fois, le son du glas

Il doit pourtant avoir une mère
Peut-être même est-il père
Qu'il me dise alors pourquoi
Sur la gâchette il a pressé le doigt

Je lui donne le bénéfice du doute
Celui de l'humain en déroute
Faisant partie d'une société
Où règne l'incapacité d'aimer

D'aimer son prochain comme soi-même
Et par le fait même
De bannir définitivement tout geste
Aux conséquences funestes

Si j'applique cette règle d'or
Je dois donc prier très fort
Pour celui qui m'a tout pris
Afin qu'il respecte le don de vie

Si Yves fut un cadeau du ciel
Il me faut retenir l'essentiel
Substituer la gratitude à la rancune
Et au désespoir l'espérance posthume

Mais je suis lasse de souffrir
Et je voudrais parfois en finir
Qui de nous deux a perdu la foi ?
L'assassin ou moi ?

18 novembre 1986

L'amour en héritage

Comme un oiseau blessé
Tu es tombé
Et ta blessure fut fatale
Car la Mort guette une aile malade

Je ne t'ai pas poussé hors du nid
Tu avais soif de liberté et d'infini
Du premier élan aux folles envolées
Tu as plané trop haut sans te poser

Rien ne calmait ton impatience
Tu voulais toutes les jouissances
Immédiatement et pleinement
Tel était ton raisonnement

Je m'applique à penser
Que peut-être tes idées
T'ont mené au jardin de l'Éden
Que tu cherchais dans tes fredaines

Il m'arrive de supposer
Que tu as enfin trouvé
Ce séjour céleste
Cause de ta hardiesse

Je te survis amputée
Le fil du temps étant coupé
Mais si ma peine est amère
J'ai eu le privilège d'être ta mère

À ton contact j'ai évolué
J'ai aussi beaucoup pleuré
Mais je n'ai jamais regretté
De t'avoir procréé

Nulle épreuve ne demeure stérile
Et rien de beau n'est facile
Si je fais mon bilan
J'ai grandi en t'aimant

19 novembre 1986

Sublime consolation

Mon cheminement dans le deuil
Est jonché de tant d'écueils
Mais les répits de certains matins
Me font soupçonner un ange gardien

Le temps faisant son œuvre
Et Jésus dans ses manœuvres
T'aurait-Il placé à mes côtés
Pour soulager mon mal d'aimer ?

Nous nous étions perdus de vue
Sur cette planète pleine d'imprévus
Mais ton départ physique
Me rapproche du mystique

Et ce monde que tu as rejoint
N'empêche pas que tu es mien
Nous nous sommes retrouvés
Et le cordon ombilical s'est relié

Nous ne formons plus qu'un
Tout comme avant l'an un
Lorsque ton fœtus nain
Faisait vibrer mon sein

De plus en plus je sens ton influence
Qui semble me dire « Avance »
Qui m'invite à sourire
Pour te faire plaisir

Merci d'être là et de me répéter
Qu'il ne faut garder du passé
Que les plus beaux souvenirs
Et d'en faire mon élixir

M'aidant à vaincre l'intolérable
La subtile mascarade
Qu'est devenue mon existence
Depuis ton ultime absence

26 janvier 1987

Les ténèbres

Ce soir j'ai très mal
Je n'accepte pas le dénouement fatal
Qui me prive de toi, Yves
Jusqu'à ce que mort s'ensuive

Je t'imagine en voyage au long cours
Et j'attends encore ton retour
Il m'arrive de me convaincre même
Qu'il s'agit d'un habile stratagème

Oui, sous l'impulsion du moment
Je m'accroche désespérément
À l'idée que ce n'est pas vrai
Que tu ne reviendras jamais

C'est le creux de la vague
Celle qui me rend malade
Celle qui me donne le goût
D'abandonner tout

Je suis marquée au fer rouge
Dont l'empreinte jamais ne bouge
Et qui quoi qu'on fasse
En aucun temps ne s'efface

Ceux qui se meuvent autour de moi
Accentuent mon inévitable émoi
Je leur en veux d'être vivants
Et j'en ai honte souvent

Pourquoi suis-je frappée
De cette épreuve injustifiée
Qu'est la perte iniquement sévère
De l'être qui nous est le plus cher ?

Et je regarde les autres jouir
Eux qui n'ont pas à subir
L'inacceptable réalité
D'une maternité sacrifiée

29 janvier 1987

Au jardin de mes souvenirs

Quand je t'ai conçu
Puis que je t'ai connu
D'une fleur nouvelle
Tu es devenu la plus belle

De toi il reste une résonnance
En dépit du gouffre immense
C'est l'écho des souvenirs
Car ton jardin ne va pas refleurir

Le sol demeurera aride
Devant mes yeux avides
Et la source tarie
Je la bois jusqu'à la lie

Car je ne connaîtrai jamais l'émotion
D'une naissance de ta création
Pas plus que ta tendresse
Pour ensoleiller ma vieillesse

Si tu savais comme tu me manques
Et je voudrais qu'ensemble
Nous cueillions les fleurs d'éternité
Que mes espoirs ont semées

Est-il possible que tu sois là
Sans déranger ton karma
Pour me mener jusqu'au bercail
De nos retrouvailles ?

3 février 1987

In memoriam
1959-1986

Aujourd'hui tu aurais 28 ans
Et je serais remplie d'étonnement
Devant ce fils devenu un homme
Dans l'exultation que la fécondité donne

Je ne savais pas, l'an passé
Que ton anniversaire serait le dernier
Car je t'aurais dit tant de choses
Que je taisais par pudeur et par pose

Tu n'es plus là pour les entendre
Toutes ces paroles tendres
Mais je veux crier au monde entier
Pourquoi tu étais digne de ma fierté

Une fée s'était penchée sur ton berceau
Tu étais fort et tu étais beau
Tes prouesses sportives remarquables
Faisaient l'envie de tes camarades

Tes succès scolaires faciles
Te rendaient l'effort inutile
Et tes professeurs ont déclaré
Que tu étais surdoué

Tu avais tout le potentiel nécessaire
Pour faire une belle carrière
Et tes qualités de chef
Te mettaient toujours en relief

Un jour j'ai senti le malaise
Que tu combattais à ton aise
Et de tes faux pas à conséquence
Je n'ai pu que retarder l'échéance

T'ai-je trop ou mal aimé
Pour que tu cherches chez des étrangers
Les réponses à tes angoisses
Dans des évasions illusoires ?

Ou dois-je me rendre à l'évidence
Que le prix de ta naissance
Se devait d'être très élevé
Puisqu'il m'avait été beaucoup donné ?

Quant à toi
Tu avais fait ton choix
Préférant l'intensité à la durée
Disais-tu dans ta témérité

Mais on ne choisit pas de mourir
Quand on aspire à tant de plaisirs
Et tu avais ton code d'éthique
Croyant celui des autres identique...

12 février 1987

La dignité

Il me faut ton soutien
Pour continuer mon chemin
Dans la dignité exigeante
De l'acceptation de ma souffrance

Je cherche l'arc-en-ciel
Au bout du tunnel
Le goût de vivre
Sans toi, Yves

J'ai vécu des valeurs
Qui ressemblaient à des peurs
Que l'on qualifiait de vertus
Dans le jansénisme entretenues

Si j'étais jeune aujourd'hui
Avec tous ces tabous abolis
Qui me dit que des agapes
Je ne brûlerais pas les étapes ?

Comme toi serais-je peut-être grisée
Et impatiente d'être arrivée
Au sommet dont l'ascension
Serait synonyme d'autodestruction

Montre-moi comment mériter
L'ivresse de te retrouver
Car je trébuche parfois
Sur les sentiers de la foi

Toi qui retenais toute mon attention
Retourne-moi cette fidèle affection
À ton tour guide mes pas chancelants
Jusqu'au dernier tournant

17 février 1987

251

De l'aube au soleil couchant

En ce jour ton père est décédé
Ce père qui t'a tant manqué
Objet d'un malentendu insidieux
Toujours latent pour nous deux

Car tu m'as parfois haïe
De t'avoir privé de lui
Et en m'accusant d'abandon
Tu excusais ses trahisons

J'avais sublimé mon double rôle
Pour être de ta sérénité le pôle
Mais tu n'as compris qu'à 20 ans
Les motifs de mon comportement

Je l'envie d'être allé te rejoindre
Et une étrange lueur semble poindre
Comme si cette tranche terminée
M'incitait finalement à me résigner

Mais je ne veux pas qu'on t'oublie
Et je ne ferai plus de compromis
Que les tenants d'une telle ignominie
Se le tiennent pour dit

Sur mon front j'ai gravé ton nom
Comme le médaillé porte son fleuron
Et si mes rires étouffent des sanglots
C'est pour ne pas troubler les sots

Si tu es devenu pur esprit
Verse-moi le baume qui guérit
Puisqu'il faut que je survive
Avant d'atteindre ta rive

14 mai 1987

Requiem pour une mère

J'ai lu une de Tes paraboles
Et je bute sur Tes paroles
Il y est question de trésors
Qu'à Ton avis j'ignore

J'évalue mes trésors souvent
Ceux d'aujourd'hui et ceux d'antan
Mais tu as eu le culot
De me voler le plus beau

Si tu es mon berger
Il ne reste qu'à m'abandonner
À ta présumée sagesse
Qui mène au port de l'allégresse

Dissipe les doutes
Sur ma pénible route
Fais-moi découvrir l'emblème
Qui me vaudra un divin diadème

Étanche la soif d'Yves
Sa soif d'amour trop vive
Parce que dans son monde d'enfant
Un parent était manquant...

18 juillet 1987

S.O.S., fils

AIDE-MOI
À croire en ta libération
Qui justifierait la sanction
De ne plus te voir, mon fils
Et d'ennoblir ce sacrifice

AIDE-MOI
À déjouer ma solitude
Sans tomber dans l'habitude
D'ignorer ceux qui restent
Et de leur imposer ma tristesse

AIDE-MOI
À ne pas m'apitoyer
Sur mon sort et sur le passé
Aiguise plutôt mon désir
De trouver comment je peux tenir

AIDE-MOI
À m'appliquer à guérir
À persévérer sans fléchir
Mais si j'ai résolu de rester
Il me faut davantage qu'exister

AIDE-MOI
À croire dans la seule condition
De notre prochaine réunion
Qu'est ce passage de vie à trépas
Où nous communierons dans l'au-delà

AIDE-MOI
Parce que mon univers s'est écroulé
Le manège s'est arrêté de tourner
Mes sourires sont des feintes
Et j'erre sans fin dans un labyrinthe

4 août 1987

Choix

Je n'ai pas voulu me rappeler
Ton corps inanimé
J'ai choisi de garder de toi
Le portrait de la joie

Mais ce n'était qu'un leurre
Pour échapper à l'horreur
De l'insoutenable vérité
Celle de ta mort dénaturée

Ce n'était pas de bon ton
Puisque je garde toujours l'impression
Que tu reviendras demain
Et je refuse mon chagrin

Était-ce une lâcheté
Que ce cercueil fermé
Payée par la hantise du vœu
Que ce n'est qu'un lugubre jeu... ?

8 septembre 1987

Révolte

Quand tu eus 8 ans
J'ai joint les rangs
Des parents préoccupés
De valeurs morales à inculquer

Des scouts et de tous les sports
J'ai soutenu les efforts
Mon bénévolat et ma présence
Ne manquaient pas de constance

Ces années de fidélité
À laquelle je me suis appliquée
Étaient pour moi l'assurance
D'une saine récompense

Jamais tu n'as manqué
De mon support à tes activités
J'ai cru qu'une telle implication
Ne t'apporterait que du bon

Mais de ma tendre persévérance
Je n'ai récolté qu'indifférence
Et de mon dessein légitime
Qu'une moisson infime

Je n'ai donc pas encore compris
Que des parents sans-souci
Aient atteint la réussite
Et ma révolte subsiste !

8 septembre 1987

Hérédité

La maladie des émotions
Qui propulse tant d'actions
À un rythme démesuré
Serait-elle liée à l'hérédité ?

Sans chercher l'excuse mais le pourquoi
Il est indéniable quelquefois
De voir un fils et son père
Démontrer les mêmes traits de caractère

Cette impossibilité de vivre
Sans un certain délire
De faire face aux difficultés
Sans une quelconque ébriété

Si ce besoin d'évasion
Est dans le gène profond
Comment alors s'étonner
De ne pouvoir le combler ?

Il y a la théorie de l'éducation
Qui dit-on corrige l'imperfection
Mais peut-on vraiment lutter
Contre des penchants innés ?

J'ai donc aimé un père et son enfant
Qui souffraient du même tourment
Ils sont à jamais disparus
Parce que leur fébrilité était un refus

Refus de la médiocrité
Refus de la banalité
Course effrénée au plaisir
Pour arriver à s'engourdir

Était-elle donc si insupportable
La subsistance dite normale
Pour risquer de payer le prix
Coûtant la fin de deux vies ?

8 septembre 1987

Un songe

Cette nuit j'ai rêvé de toi
Tu n'étais pas celui d'autrefois
Tu avançais sur des béquilles
Et ton regard était sénile

Tes cheveux étaient blancs
Sur tes vingt-sept printemps
Et ton corps jadis bien musclé
N'était plus qu'un pantin atrophié

Mon réveil fut très pénible
Et ma réflexion difficile
J'ai hurlé d'écœurement
Devant pareil harcèlement

Mes pensées vagabondaient
Du soulagement au regret
Car aurais-tu accepté
De vivre ainsi diminué ?

Ce soir-là avant de m'endormir
Je t'avais supplié de me dire
Comment faire pour conserver
Le courage de continuer

Voilà ce que j'ai entendu
Car tu m'as répondu
Qu'il faut que je t'aime assez
Pour préférer la mort au supplicié

Sur le chemin de la liberté
Tu as suivi ta vérité
Sans savoir que la trame de tout rêve
Est enchevêtrée de pièges

12 septembre 1987

Gratitude

J'ai vu des larmes dans certains yeux
Accompagnées de mots chaleureux
Qui m'ont soulagée du mépris
À peine voilé des sépulcres blanchis

Car on juge un être assassiné
Avec l'étroitesse du préjugé
Que l'on récolte ce qu'on sème
Mère et fils à égal barème

Merci d'avoir pleuré avec moi
Cet enfant devenu la proie
De sottes gens sans humanité
Devant sa jeunesse fauchée

Quant à nos accusateurs
De la morale les détenteurs
Je les absous par le critère
Qu'ils n'ont pas assez souffert

Et s'il faut jauger la culpabilité
Qu'on le fasse avec magnanimité
Sans omettre la compassion
De tout chrétien digne de ce nom

10 octobre 1987

Les faussaires du sport

De quelle subtile méchanceté
Sous l'apparence de l'impartialité
Peuvent-ils être capables
Et qui laisse des séquelles irréparables !

Sous le couvert du bénévolat
Ils assouvissent leurs instincts les plus bas
Sans se soucier de ceux qui se fient
Trop jeunes pour déceler leur tricherie

J'ai vu de ces faux bienfaiteurs
Et leur cour avide d'honneurs
Bafouer les vrais talents
Pour ne pas perdre leurs courtisans

Mais tu n'étais pas de l'engeance
De ceux qui manigancent
Et dans ta naturelle candeur
Tu ne questionnais pas leur valeur

Qui peut dire que leur inconduite
N'a pas encouragé ta fuite
Quand tu as réalisé l'absurde
De ta croyance aux cupides adultes ?

1er mai 1988

Méprise

Je me pose tant de questions
Il y a tant d'incompréhension
Où et pourquoi as tu changé
Et qui sont ceux qui t'ont influencé ?

Je te répétais souvent une phrase
Et j'y mettais beaucoup d'emphase
Celle qui recommande la bonté
Et garantit la réciprocité

Celle que la Bible cite
Comme comportement altruiste
Je t'ai donc conseillé
D'être partisan de l'équité

Que l'autre ne doit pas souffrir
Ce que tu n'aimerais pas subir
Que tu agisses de bon aloi
Comme si c'était pour toi

À 19 ans tu me déclarais dépassée
Et tu m'as littéralement sidérée
En m'expliquant ta philosophie
De survie dans le piétinement d'autrui

Pourtant tu avais un protégé secret
Au Tiers-Monde tu versais son forfait
Et tu as amoindri ses sévices
Quelle flagrante injustice !

5 mai 1988

Solitude

C'est le printemps
La saga des ans
Tout renaît chaque fois
Excepté toi...

C'est la fête des Mères
De maman, aïeule fière
Mais moi j'arroserai de mes pleurs
Sur ta tombe les nouvelles fleurs

Et je m'accroche instinctivement
À la barque qui suit le courant
Alourdie par la tentation
De lâcher pour de bon

Souhaite-moi une passion
Comme la promesse des bourgeons
Aux tiges fortes et axées
Sur la FOI, l'ESPÉRANCE et la CHARITÉ

Maman Denise.
(8 mai 1988)

Je t'aime, je t'ai tant aimé, je t'aimerai toujours.

Si... pour sursis

Si tu avais vécu
Que serais-tu devenu
Avec tant à apprendre
Et beaucoup à prendre ?

Si je le pouvais
Nos places j'échangerais
Pour que tu puisses essayer
D'être heureux sans tricher

Si par miracle tu revenais
Quelles folles attentes j'aurais
En sachant te respecter
Comme cela a toujours été

Si à ton tour tu procréais
Finalement tu comprendrais
Que parmi les façons d'aimer
Celle-là est l'apogée

S'il fut permis que tu meures
Je maintiens que tu demeures
Un lésé du droit
À un sursis adéquat

7 octobre 1988

Épilogue

Sur l'écran de ma vie défilent des images
Où prédomine sans cesse son visage
Tantôt rieur tantôt soucieux
Auquel je refuse mes adieux

C'est mon cinéma du rêve
Qui n'a jamais de trêve
Car il est impensable
Que j'en sois capable

Qu'on me laisse donc l'illusion
Au détriment de ma raison
Que son long silence
N'est qu'une folle extravagance

Je suis seule à le croire
Et j'ai peur de cette échappatoire
Niant sa page inachevée
Encore et toujours inacceptée

Mon plus grand accomplissement
Fut son engendrement
Rien ne peut donc motiver
Tout projet voué à la médiocrité

La comparaison étant futile
Tout objectif m'apparaît inutile
À ceux qui m'aiment inconditionnellement
Je demande pardon humblement

Je suis indignée que l'on prenne soin
De souligner que j'ai l'air bien
Et qu'on ne comprenne pas davantage
Le sens du mot « courage »

Qu'est-ce qui'Il me veut
Ce présumé bon Dieu ?
Car la laideur de l'incident
Est du royaume de Satan...

S'il m'eût été possible
De devenir la cible
J'aurais affronté le coup fatal
L'amour étant plus fort que le mal

Je t'aime, je t'ai tant aimé, je t'aimerai toujours.

Maman Denise.
(Août 1989)

Achevé d'imprimer
en décembre 1990
MARQUIS
Montmagny, Québec, Canada